CYFROL DEYRNGED
EIC DAVIES

Cyfrol Deyrnged
Eic Davies

Gol: Myrddin ap Dafydd

Argraffiad cyntaf: Tachwedd 1995

ⓗ   *Gwobr Goffa Eic Davies*

Ni chaniateir defnyddio unrhyw ran/rannau
o'r llyfr hwn mewn unrhyw fodd
(ar wahân at ddiben adolygu)
heb ganiatâd perchennog yr hawlfraint yn gyntaf.

Rhif Llyfr Safonol Rhyngwladol:
0-86381-352-6

Cynllun clawr: Alan Jones
Lluniau trwy garedigrwydd y teulu

Argraffwyd a chyhoeddwyd gan Wasg Carreg Gwalch,
Iard yr Orsaf, Llanrwst, Gwynedd.
☎ (01492) 642031

Eic Davies

Cais a chic adlam a'i gwnaeth yn ffamws
Yno'n acenion y fro a'i cwnnws,
Gydag afiaith ein hiaith a ystwythws
Ar Wauncaegurwen yn gymen, gwmws;
Yn gyson fe ddangosws — ei ddonie,
Ac ar faes geire efe a sgorws.

Idris Reynolds

Cynnwys

Cyflwyniad

Un stori y byddai Eic Davies yn ei dweud amdano'i hun oedd digwyddiad yn ystod ei flwyddyn brawf yn ei ysgol gyntaf yn Heol Kitchener, Caerdydd. Daeth Prys Jones, yr arolygydd ysgolion, heibio gan wrando arno'n dysgu. Ar ddiwedd y wers, cyngor yr arolygydd oedd i Eic beidio ag ailadrodd yr ymadrodd 'reit-ho' yn rhy aml o flaen y plant. Ateb swta yr athro ifanc oedd 'reit-ho'!

Nid un i gyfaddawdu'i dafodiaith oedd Eic Davies, nid un i gyfaddawdu'i iaith ychwaith. Fel y tystia llu o'i gyfeillion a'i gydweithwyr yn y gyfrol hon, gwasanaethodd Gymru a'r Gymraeg yn ddiflino mewn ysgol, ar lwyfan drama ac ar faes y campau. Ei gyfrinach oedd cyflwyno'r iaith fel cyfrwng i fwynhau'r bywiog a'r afieithus mewn bywyd.

Ysgogwyd y gyfrol hon ar ôl darllen ysgrif y Parch. T.J. Davies iddo yn ffrwyth cystadleuaeth ysgrif bortread yn yr Eisteddfod Genedlaethol beth amser yn ôl. Gyda chymorth parod ei deulu a chyfeillion agos, lluniwyd rhestr addawol o gyfranwyr tebygol. Doedd dim ond rhaid hanner gofyn iddynt hwythau na ddoi addewid am ysgrif neu gerdd ar unwaith. Parodrwydd ei ffrindiau i gofio amdano a'i gwnaeth hi'n bosibl i gyhoeddi'r gyfrol hon. Diolch i bawb am bob cymwynas.

Myrddin ap Dafydd

Y Gwrhyd

Ychydig iawn o Gymry sy'n gwybod am fodolaeth ardal y Gwrhyd. Mae hyd yn oed tirfesurwyr yr *Ordnance Survey*, am ryw reswm, wedi anwybyddu'r darn tir hudolus hwnnw rhwng Rhyd-y-fro a Chwmllynfell — darn tir oedd mor annwyl i'r diweddar Eic Davies.

Ar ôl cyrraedd pentre tawel Cefn-bryn-brain o gyfeiriad Brynaman, ewch mlân i Gwmllynfell, pentre genedigol Watcyn Wyn a Ben Davies. Gyferbyn â Neuadd Les y Glöwyr neu *Hall* Cwmllynfell, mae yna hewl fach yn troi i'r dde rhwng Capel Cwmllynfell a'r ysgol. Dyma'r hewl sy'n arwain i Fynydd y Gwrhyd. Mae'r Neuadd yn dal yno, wedi'i hadnewyddu ac ar ei newydd wedd:

> Chwi oedd plastai ein pleser swllt a naw
> ym mhentrefi'r Cwm,
> yn cynnig eich cyffuriau seliwloid bob nos
> yn eich gwyll melfedaidd,
> ac yn ein cymryd ar dripiau teirawr
> ymhell o afael y Mynydd Du.

I fyny â ni, heibio i Dafarn y Boblen a fu'n gartre i Glwb Rygbi'r pentre am flynyddoedd lawer, Cae Rygbi'r Bryn lle bu Eic yn sgriblo nodiadau ar brynhawnie Sadwrn cyn raso am ei fywyd yn ei A30 i stiwdios y B.B.C. yn Abertawe. Yn ystod y ganrif hon, mae sawl crwtyn ifanc wedi cerdded lan Hewl y Bryn yn llawn gobeithion ar fin dechre gyrfa dan ddaear — rhai yn gweithio yn y pylle bach niferus a greithiodd y bryniau cyfagos, ac eraill yn troedio dros y comin i Dairgwaith ac i byllau'r Steer, yr East a'r Maerdy.

Am ychydig mae dyn yn ffarwelio â'r cwm diwydiannol; 'dyw hewl y Gwrhyd ddim yn gwegian dan bwysau pobl a cheir. Gwelir defaid mynydd fel smotiau gwynion yn pori yn y pellter ac ar y chwith nifer o dai cerrig, cadarn a adeiladwyd â gofal ac sy'n dal yno yn gwrthsefyll grym y gwyntoedd gorllewinol. Yna'n sydyn, daw olion o'r oes a fu: tri gwaith glo bach — y

Gover, y Glen a Gwaith y Tyle lle collodd Bryn Williams ei olwg mewn tanchwa yn y tridegau. Roedd un o gyn-berchenogion y Gover yn ŵr dysgedig, yn ymddangos o'r ffâs am dri yn y prynhawn yn golier o'i gorun i'w sawdl ac yna o bryd i'w gilydd yn diflannu mewn siwt drwsiadus i bellteroedd byd, gan ei fod yn berchen ar gadair Ddaeareg mewn Prifysgol yn y Dwyrain Pell. Cynhyrchir glo caled o ansawdd da yng nglofa'r Glen o hyd, ond bellach mae'r gweithfeydd mor brin â gwiwerod cochion.

Tan yn ddiweddar, wrth lywio'r car ar hyd yr hewl fwaog i Goedffalde, roedd modd bwrw golwg i gyfeiriad Ystradowen a chael cip sydyn ar dip glo Gwaith Cwmllynfell. Symudwyd y cyfan yn yr wythdegau cynnar gan beiriannau astrus yr oes fodern ac i radde gwireddwyd breuddwyd y bardd lleol Brian Martin Davies:

> Mae eich düwch yn dal yn y dyffryn
> oni ddaw rywdro
> laswellt hen obaith
> i'ch troi
>   yn wyrdd.

Roedd nifer yn yr ardal yn anfodlon symud y pyramid du ac yn awyddus i'w gadw yn yr unfan er mwyn atgoffa'r oes bresennol o ddioddefaint y gorffennol a dangos shwd oedd pobl wedi torri at yr asgwrn er mwyn cael deupen y llinyn ynghyd.

I lawr i'r pant ac i Goedffalde a man geni'r bardd a'r llenor Dyfnallt Owen. Yn ddeuddeg oed aeth i ennill ei damaid yng ngweithiau glo Cwmgilfach, Hendreforgan a Brynhenllys a thyfodd i fyny yn rhan o gymdeithas werinol Gymraeg y talcen glo. Cafodd yr ychydig addysg ffurfiol yn nhymor plentyndod yn Ysgol Fwrdd Cwmllynfell, lle nad oedd sôn am Lyn y Fan nac am hela'r Twrch Trwyth nac am ddim o draddodiadau cyfoethog cylch y Mynydd Du. Dim ond plentyn oedd Dyfnallt Owen pan godwyd yr ysgoldy ar y Rhiwfawr ac yr oedd yn un o'r to cyntaf i gael llwyfan a chyfle i eisteddfota. 'Yno y cyfrennid y wir addysg, yr addysg a ddug ffrwyth ar ei chanfed.'

Ar waelod Tyle'r Roc mae yna lôn yn disgyn i bentre cysglyd Rhiwfawr ac o fewn tafliad carreg, yn ymyl Fferm Hendreforgan, mae yna banorama anhygoel yn ymagor yn ddiarwybod o flaen ein llygaid. Yn wir, yn yr hydref, mae lliwiau caleidoscopig y coed o gwmpas afon Twrch yn atgoffa dyn o Vermont ar ei orau, ac wrth ddilyn y tirlun i'r gorwel, gellir gweld bryniau ardal Llyn y Fan lle mae afonydd Tawe, Wysg, Haffes, Giedd, Gwys a Thwrch yn tarddu.

Dringo lan y tyle oedd Eic Davies, yn enwedig pan fydde Peter O'Toole yn ymweld. Roedd cartre Siân Phillips, gwraig yr actor byd enwog, yng Nghwmllynfell ac mae'n debyg fod seren y seliwloid wedi gwirioni'n llwyr ar Dafarn y Roc. Yno yr eisteddai, yn ymlacio'n braf tra'n yfed peint o gwrw Evans Bevan ac yn ôl Eic roedd e'n reit gartrefol yng nghwmni'r ffermwyr a'r coliars. Pallodd anadl yr hen dafarn yn y chwedegau a'r adeilad erbyn hyn yn rhydu'n hamddenol ar y llethrau.

Cyn cyrraedd yr ucheldiroedd rhaid concro un tyle arall hynod serth — y Cilfer. Mae sawl cerbyd pwerus yr oes bresennol yn cael anhawster dringo i'r tir uchel, a dychmygaf mai tuchan a bwldagu fydde ambell i *Morris Minor* ac *M.G.* o'r gorffennol. Ond ar ôl llwyddo mae'r golygfeydd yn syfrdanol. Ar ddiwrnod clir mae modd gwerthfawrogi Bannau sir Gâr, y Fan Hir, Fan Gyhirych, Fan Nedd, Pen y Fan, a Chraig-y-Llyn uwchben Glyn-nedd.

Ar ôl gwledda'n llygaid ar brydferthwch digymar yr olygfa, trown i gyfeiriad Rhyd-y-fro a'r mynydd-dir eang yn ymledu am filltiroedd. Mae yma ryw dawelwch marwaidd ac annaturiol ond, hwnt ac yma, gwelir enghreifftiau o'r hacrwch o waith dyn — gweithfeydd glo Bryngorof, Lefel y Parc, Pwll Bach ac ymgais cwmni glo brig i ddinistrio'r tirwedd. Yn ymyl fferm Troedrhiwfelen, yn nhyddyn di-nod y Parc y ganwyd Eic, ac o fewn lled cae ym mwthyn Ca' Du Ucha' roedd mamgu a thadcu Rhys Haydn Williams yn arfer byw. Llosgwyd y lle yn ulw yn y pumdegau. Chwaraeodd Rhys Haydn yn yr ail reng i Lanelli, i Gaerdydd, i Gymru a'r Llewod ac ar daith yn Seland Newydd yn

1959, fe'i disgrifiwyd gan Colin Meads fel un o gewri'r gêm. Parablodd Eic yn hir ac yn faith amdano a sgrifennodd sawl llith am y blaenwr dawnus.

Cyn canfod Capel y Gwrhyd, mae yna hewl fach gul yn igam-ogamu ei ffordd i waelod y cwm ac i gyfeiriad Ystalyfera. Mewn ffermdy diarffordd y trigai'r brodyr Gelliwarrog. Agorodd y ddau waith glo bach a'r drifft yn eu tywys at ffâs hynod broffidiol. Yn dilyn ymweliad oddi wrth un o Arolygwyr Ei Mawrhydi, gofynnodd am weld y stretsiar. Gan mai'r ddau oedd yr unig weithwyr cyflogedig, dychwelodd Wil â whilber gan ddweud, 'Dyma'r unig stretsiar sy'n mynd i achub bywyde yn y lle 'ma, syr!'.

Rhyw gan llath o'r capel mae yna olygfa sy'n ein hatgoffa nad yw'r trefi poblog ddim ymhell. Mae'r llanastr llwyd o gwmpas Pontardawe, a ddisgrifiwyd mor gywrain gan Gwenallt yn ei gyfrol *Ffwrneisi*, wedi hen ddiflannu, ond ceir cip brysiog ar brysurdeb y ffatrïoedd newydd a'r parciau busnes prysur ar gyrion Treforys ac Abertawe.

Syml a phlaen yw'r capel o ran ei adeiladwaith ond mae modd cysgodi rhywfaint, ymlonyddu a myfyrio tra'n clywed y gwynt yn rhuo ac yn gwrando cân yr ehedydd yn dyrchafu mawl. O'r tir uchel mae'r wlad yn graddol ymagor a sawl fferm yn ymddangos — Cwmnantstafell, Cwmnantllici, Gellifowy, Crachlwyn, Pentwyn, Perthigwynion, Llwynpryfed, Fforchegel, Gwrhyd Ucha, Gellilwca, Ynyswen a'r Pant. Gyferbyn â'r capel saif sgerbwd o adeilad — am gyfnod yn ysgoldy ac yna'n ysbyty i gleifion a ddioddefai o glefydau marwol y gorffennol. Draw ar y chwith, ar gesail y bryn, mae Fferm Blaenegel ac islaw gwelir afon Egel yn tasgu dros y cerrig gwynion ar ei thaith i gyfarfod â Chlydach Ucha ac yna Tawe ym Mhontardawe. Cyn cyrraedd pen y daith, yn ymyl tafarn y *Travellers* yn Rhyd-y-fro, mae yna ddwy hewl yn troi i'r chwith — un i bentre Ynysmeudwy a'r llall i Eglwys Llan-giwg.

Dyw enw'r Gwrhyd ddim wedi'i gynnwys mewn llythrennau bras mewn unrhyw atlas, a bydde rhai, gan gynnwys y diweddar Eic Davies, yn hynod ddiolchgar am hynny!

Alun Wyn Bevan

Eic Davies (1909-1993)

Mae blas y cynfyd yn beth prin bellach, rhaid chwilio'n ddyfal amdano. Fe'i cefais, ar ddamwain, mewn man annisgwyl iawn. Rhwng Pontardawe a Chwmllynfell mewn cyntedd o dir gwyllt a elwir y Gwrhyd. Mae'n syn ei fod yno o gwbl. O boptu iddo mae creithiau'r diwydiant glo, bob gwaith wedi ei gau bellach, ar wahân i ambell waith bach, preifat. Eto, ni lwyddodd diwydiant i ddiffodd na dileu blas y cynfyd. Bu perygl o gyfeiriad y glo brig ond ni ddaeth i'r cwmwd i reibio. A rhan o'r cynfyd yw'r merlod mynydd gwyllt sy'n glystyrau hyd y paith; maent mor wyllt â'r petris a'r sneipen, a'r un mor anodd i'w dal. Ni chyffyrddodd llaw ag un ohonynt a phan welant rhywun yn nesáu, rhochiant fel moch a chodi cwt a bant â nhw gan ollwng saethau gwynt i gyfeiriad yr ymyrrwyr! Pan ddaw dydd eu dal mae'n dasg go fawr, a rhaid wrth gatrawd o ddynion, tasg enbyd yw eu corlannu. Wedi eu torri i fewn dônt yn hyweth ac ufudd a gall plentyn eu marchogaeth yn gwbl hyderus a gwneud hynny gyda ffrwyn ole.

Fedrwch chi ddim dechre deall Eic Davies heb ei osod yn ei gyd-destun daearyddol a chymdeithasol. Un o fechgyn y Gwrhyd oedd e. Blas y cynfyd yn rhan o'i natur. Synhwyrech ryw gyntefigrwydd gwâr ynddo. Edrychai fel poni mynydd. Stwcyn bach cadarn gyda chnwd anhydrin o fwng ar ei gorun, a thagell drom o dan ei ên — cas cadw da arno bob amser — wedi pori'n dda. Gwisgai o hyd frethyn gwlân y defaid mân. Talp o Gymro: y Gwrhyd ar ddwy droed. Gosodwyd llaw addysg arno a'i ddisgyblu, ond er hynny, ni lwyddwyd i ddileu'r Gwrhyd, diolch am hynny. Ymfalchïai yn ei fro a daeth â hi i'r amlwg. Bro Dyfnallt, wrth gwrs, ac y mae carreg goffa i'r dewin hwnnw ar gyntedd y Gwrhyd. Roedd 'na debygrwydd rhwng y ddau. Yr un hyd a'r un led! Ac mae'n bosib bod gwallt Dyfnallt yn fwy afreolus nag un Eic hyd yn oed. Dynion â chyffro'r grug a'r ceunentydd yn eu hymadroddion a'u cyflwyniadau. Gwŷr a'u Cymreictod ym mêr eu hesgyrn. A'u rhin oedd cyfoeth yr iaith lafar a dasgai oddi ar eu gwefusau, iaith Cwmtawe ar ei mwya cyfoethog, heb arni staen na chraith seisnigrwydd. Mae'r sawl a glywodd Eic yn trafod chwaraeon wedi ei gyfareddu gan yr iaith a ddefnyddiai. A phwy a all anghofio Dyfnallt yn darlithio ar 'Y Beca'? Storm o ddarlith a'r iaith yn pefrio.

Gwir i Eic adael ei fro, ond ni adawodd ei fro mohono fe. Aeth i ddilyn cwrs prifysgol i'r ddinas gan raddio yn y Gymraeg. Ei swydd gyntaf oedd dysgu'r Gymraeg fel ail-iaith i blant Caerdydd. Hedin caled iawn, ond fe drawodd e a chwpwl o'i gyfeillion ar gynllun gwreiddiol. Y triawd oedd Eic, a Gwyn Daniel, a ddaeth wedi hynny yn brifathro yng Ngwaelod-y-Garth, a Victor Hampson Jones, a'i cymhwysodd ei hun yn gyfreithiwr yn ddiweddarach. Y cynllun a ddyfeisiwyd oedd cynnig gêm o rygbi ar fore Sadwrn i'r plant ar yr amod eu bod yn chwarae yn Gymraeg. Roedd cael chwarae yn gynnig rhy dda i'w wrthod ac roeddent yn barod iawn i roi cynnig ar yr amod. I'r perwyl hwn bu raid i'r triawd fathu termau wrth gwrs. O ganlyniad cafwyd pwyllgor hynod o gynhyrchiol, heb os. Mae'n debyg mai Gwyn Daniel a Vic Hampson biau 'mewnwr' a 'maswr', ond Eic fathodd y lleill, rhai fel 'bachwr' ('y grafanc' oedd y gwreiddiol) 'cais', 'ystlys', 'cic adlam', ac y mae'n debyg fod y term yna yn rhagori ar y Saesneg *drop kick*, gan ei fod yn gywirach disgrifiad o'r hyn sy'n digwydd. Mae'n siŵr gen i i'r plant gael amser da, ond mae hi yr un mor sicr i'r Gymraeg hefyd elwa yn fawr o'r arbraw yna, a chyfoethogwyd iaith chwaraeon am byth.

Yn ystod hwyrnosau'r haf âi Eic i glwb tennis Capel y Crwys, er mae'n trethu tipyn ar ddychymyg rhywun i weld Eic fyrgoes yn adlamu ar draws y cwrt. Nid yno i gwrso'r bêl oedd e, yn bennaf. Roedd ganddo reswm amgenach. Bu'n cadw'i lygaid a'r un o'r crotesi a chwaraeai, ac yn y man, daeth e a Beti Howell yn ffrindiau. Hi a'i theulu ymhell o'r Gwrhyd ymhob ystyr i'r gair. Dosbarth canol ffyniannus y ddinas oedd ei theulu ac yn fwy cartrefol gyda'r iaith fain na'r Gymraeg. Er hynny, Cymry oeddynt ac aent yn ffyddlon i'r Crwys. Rhyfeddai llawer o'i ffrindiau at y bartneriaeth, wedi'r cyfan, doedd dim yn gyffredin rhyngddynt a chryn sioc fu deall eu bod am briodi. Ni weithiodd yr un ieuad yn well. Gwir ei fod yn ymddangos fel ieuad anghymharus, ond fe dderbyniai'r ferlen fywiog o'r Gwrhyd ei drin a'i drafod ac ymatebai'n ufudd i law dyner Beti. Un o bartneriaethau mawr y Gymru hon. Gwnaeth Eic Gymraes dda ohoni hi a gwnaeth hithau ddyn ohono yntau. Hawdd dychmygu llawenydd Eic pan gipiodd Beti sedd i'r Blaid yng Ngwauncaegurwen sosialaidd, wrth-Bleidiol. Ond nid pleidlais i Blaid Cymru mohoni chwaith, eithr i'r addfwyn Beti a'i theulu a gyfoethogodd fywyd y pentre.

Rwy'n camu'n rhy fras. Collodd Eic ei swydd gyda Phwyllgor Addysg Dinas Caerdydd. Roedd yn wrthwynebydd cydwybod-ol ar dir cenedlaetholdeb, ac yn rhy radical a rebelaidd i'r ddinas a oedd yn gobeithio dod yn Brifddinas Cymru. Ni ellid gollwng y fath afiechyd i ganol plant rhag iddo eu heintio, ac ys dywed y Gair, cadd ei luchio mas yn bendramwnwgl. Chwarae teg i bwyllgor addysg yr hen fwrdeisdref, Merthyr Tudful, fe'i penodwyd yn athro Cymraeg yn ysgol ramadeg Mynwent y Crynwyr. Erbyn hyn yr oedd e a'i ffrindiau, Gwyn Daniel, Victor Hampson Jones a D.O. Roberts, Aberdâr wrthi'n ymgyrchu i sefydlu undeb i athrawon Cymru. Dydd y pethe bychain oedd hi, ond ymhen blynyddoedd yr oeddynt i weld o ffrwyth eu llafur a'u diwallu. Symudodd y teulu i fyw i Ferthyr ac yno y ganwyd Bethan a Huw.

Ond alltud oedd Eic. Roedd y Gwrhyd yn galw, a phan ddaeth cyfle i ddychwelyd i'w henfro nid oedd dim dal arno. Derbyniodd swydd fel athro'r Gymraeg yn Ysgol Ramadeg Pontardawe. Yno y treuliodd weddill ei ddyddiau fel athro. Aethant i fyw i'r Waun, sef Gwauncaegurwen, wrth droed y Gwrhyd. Cyn cyrraedd Pontardawe roedd wedi dechrau sgrifennu dramâu i blant, yn bennaf, a'u cynhyrchu. Onid oedd galw am y cyfryw ar gyfer Steddfode'r Urdd? Daeth ffrwd o'i ddwylo, rhai a ddaeth yn ffefrynnau, megis *Randibŵ*, *F for Shêm* a *Cwac-Cwac* a bu perfformio cyson arnynt. Ni chyfyngodd ei hun i ddramâu plant ychwaith, a chafwyd ganddo *Fy Mrodyr Lleiaf, Llwybrau'r Nos, Lleuad Lawn* a *Nos Calangaeaf*. Gellid ychwanegu at y rhestr hefyd.

Nid gŵr segur mo Eic yn y cyfnod hwn. Gwyddai am yr angen am ddramâu ac aeth ati i gwrdd â'r gofyn. Rhan o'i genhadaeth oedd bwydo'r cymunedau â deunydd a fyddai'n hybu a phorthi eu Cymreictod: y cenedlaetholwr ymarferol. Ni fodlonodd ar sgrifennu dramâu, ac aeth ati i sefydlu ei gwmni drama ei hun a ddatblygodd i fod yn un o'r cwmnïau amatur gorau, sef, Cwmni'r Gwter Fawr. Cipiodd lawryfon y Genedlaethol yn gyson, ac ni all y sawl a welodd gyflwyniad y cwmni o *Bobl yr Ymylon*, (Idwal Jones) fyth anghofio proffesiynoldeb y gwaith. Eneidiedig yw'r gair i'w ddisgrifio. Eic oedd y cyfarwyddwr, a hyn i gyd yn ychwanegol i'w waith fel athro.

Tystia ei gyn-ddisgyblion na bu ei ragorach. Gwahanol, bid siŵr. Anghonfensiynol a gwreiddiol, heb os. Ei stafell yn llawn o wŷr y Blaid. Lluniau ohonynt ar fur y dosbarth, ac at hynny byddai D.J. Williams yn ymwelydd cyson â dosbarth chwech, ac unrhyw un arall a allai Eic ei fachu. Ni fu neb yn fwy agored genedlaetholgar, yn fwy cenhadol Gymreig. Ni hoffai pob rhiant yr eithafiaeth yna. Deuent i gwyno. Gwrandawai Eic arnynt ac edrych yn dosturiol arnynt drwy gymylau o fwg a godai o'i bibell goes-gam, a gresynu at wrthnysigrwydd Cymry'r cymoedd. Tystia'r rhai a fu'n ddisgyblion iddo, rhai fel Dafydd Rowlands a Siân Phillips, yn wir, iddo eu hail-fedyddio. 'O hyn allan, Dafydd fyddi di, nid David, a Sian nid Jane fyddi dithe,' a glynodd yr enwau. Mae cawod o gyn-ddisgyblion sy'n tystio i'r gŵr o'r Gwrhyd eu hachub i Gymru. Trwyddynt fe ddeil yr athro i lefaru a chenhadu. Parhad ydynt o'r hyn a gawsant ganddo. Mawr yw braint unrhyw ysgol sy'n cael rhodd fel Eic oherwydd nid oes dim sy'n rhagorach nag athro â thân yn ei fol.

Fel pe bai'r cwbl yna ddim yn ddigon i unrhyw ddyn meidrol, dyma'r cyfnod y dechreuodd ar ei waith fel darlledwr. Daeth yn llais cyfarwydd iawn, fe a'i banel o arbenigwyr. Llew Rees o Fangor a Jac Elwyn Watkins o Gwmtawe, ac amryw byd o rai a fedrai drafod chwaraeon drwy gyfrwng y Gymraeg. Ymunodd Carwyn James ddiwylliedig â'r criw yn ddiweddarach, ac ni bu gwell rhaglenni. Torrai dir newydd a medrech ymdeimlo â'r cyffro wrth ddisgwyl am ryw berl o air bob tro y darlledent. Ni chawsom ein siomi. Yn ogystal â'r iaith, ceid hefyd ddos drom o hiwmor, blas y cynfyd arno a'i rin yn ddigamsyniol. Mae diolch arbennig yn ddyledus i'r darlledwr gweledigaethus hwnnw, Howell Davies am roi inni'r rhaglen a dewis yr union berson i'w chadeirio. Wyn Williams a gynhyrchai, a dywedir ei fod yn eistedd ar y wal tu fas i'r stiwdio yn Park Place yn disgwyl Eic a'i lond car o Gwmtawe. Wedi iddyn nhw ddod o'r car byddai Wyn yn gofyn, 'Pwy sydd ar y rhaglen heno, Eic?'. Oherwydd hoffter y cynhyrchydd o focsio rhaid oedd cynnwys eitem ar y gamp honno bob tro.

Canwyd clodydd Sam Jones am feddwl a rhoi inni 'Y Noson Lawen' o Fangor, a haedda bob clod. Ond haedda'r 'Maes Chwarae' a ddaeth o Gaerdydd yr un ganmoliaeth. Torrodd dir newydd a chododd genedlaethau sy'n ddyledus iddi am iaith ac ymadrodd ym myd chwaraeon. Mae'n anhygoel na welodd Prifysgol Cymru'n dda i estyn i Eic yr anrhydedd uchaf a feddant am ei gyfraniad cwbl unigryw i'r iaith Gymraeg.

Roedd y teulu wedi tyfu bellach. Bethan a Huw wedi mynd dros y nyth. Y ddau wedi graddio. Penderfynodd Eic ymddeol yn gynnar er mwyn rhoi rhagor o amser i ddarlledu. Yna cafodd wybod gan y BBC nad oedd galw mwy am ei wasanaeth. Ergyd arswydus iddo. Bu'n rhan o'i genhadaeth ac nid hawdd iddo oedd dygymod â'i ddarostyngiad. Doluriwyd ei hunanbarch. Clwyfwyd ei enaid. Nid dyna'r ergyd waethaf a ddaeth i'w ran. Dechreuodd Beti glafychu. Yr hen elyn wedi ymaflyd ynddi ac fe'i lloriodd ymhen dim o dro. Bu Eic yn ymladd ag iselder ar hyd y blynyddoedd, a'r ffisig gorau gafodd oedd solas a swcwr Beti. Colled enbydus i'r teulu fu ei cholli.

Aeth Eic ar chwâl yn hollol. Heb angor, heb gyfeiriad, heb galon, eiliai am gyfnodau i ysbytai i geisio help. Collwyd yr hen Eic. Y gŵr gwreiddiol a ymhyfrydai mewn adrodd storïau am fois y Gwrhyd. Un o gyfarwyddiaid ei fro ydoedd ond collodd y cyfarwydd ei dafod, a does dim sy' dristach na chyfarwydd heb dafod, oes e?

Gwir bod Eic yn adfer am ysbeidiau, ac yn y cyfnodau hynny byddai'n ailafael yn ei hen hoffterau. Hel steddfode, cystadlu ar yr adrodd digri gyda darnau a luniodd e, ond dychwelyd i'r pwlwri a wnâi. Cofiaf alw i'w weld yn y cartre yn yr Alltwen. Dim gair. Amhosibl ei gyrraedd. Treio unwaith neu ddwy. Sôn rhywbeth am Steddfod Dolgellau 1949. Agorodd ei lygaid.

'Oech chi yno?'

'Own. Be ddigwyddodd i Jac yr Undeb ar dŵr yr Eglwys?'

Llifodd yr hanes o'i fola a chadd hwyl yn adrodd yr hanes.

'Allech chi ddim caniatáu i Jac yr Undeb chwifio yn ystod Steddfod Genedlaethol Cymru. Bachan, y Ddraig Goch ddyle fod yno, ac fe'i gosodais yno.'

Llithrodd yn ôl i'w fyd dirgel a gadewais gyda diolch imi ymaflyd mewn dyn ar y llawr a'i godi, am dro byr yn unig.

Fel pe bai colli Beti ddim yn ddigon cadd ergyd enbyd arall, ac yntau nawr heb fod mewn cyflwr i'w dderbyn. Collodd Bethan o dan amgylchiadau trist, a go brin iddo fedru dygymod â'r golled honno. Seren tan gwmwl fuodd e am y chwarter canrif olaf o'i oes. Cadd ofal tyner gan Huw a'i deulu a theulu Beth, ond yr oedd tu draw i bob gofal. Gadawodd wacter o'i ôl. Gŵr amryddawn, gŵr bywiog, Cymro o ruddin ac argyhoeddiad. Rebel wrth reddf. Ymgorfforiad o gyntefigrwydd cyffrous y Gwrhyd a ddaeth â bri i'w gynefin. Go brin y gellir disgwyl tebyg iddo eto o'r fro honno. Cafwyd dau, ac mae hynny'n gymwynas fawr: Dyfnallt ac Eic.

Ac i gofio Eic, fframier y polisi yswiriant a brynodd gan Trefor Morgan pan ddechreuodd hwnnw gwmni yswiriant Cymraeg. Eic oedd y cyntaf i brynu polisi gydag e. Mae hynna'n dweud y cwbl amdano. Gosoder y polisi mewn ffrâm a'i hongian ar fur ysgol y Rhiwfawr. Dyna Eic. Tyfodd Dyfnallt ac Eic i fod yn rhan o fytholeg ein cenedl, a chyhyd ac y bydd sylwebu ar chwaraeon trwy gyfrwng y Gymraeg, bydd Eic, er ei fod wedi ymadael â ni, yn llefaru eto, gan iddo drosglwyddo ei ddawn i'w fab Huw.

Y Parch. T.J. Davies

Fy Nghyfaill Eic

Mae ychydig dros hanner can mlynedd er pan ddeuthum wyneb yn wyneb ag Eic am y tro cyntaf. Gwyddwn am ei enw cyn hynny. Enillasai ar sgrifennu dramâu byrion yn Eisteddfodau Cenedlaethol y pedwardegau cynnar, ac yr oedd i'w glywed yn perfformio ar brydiau ar rai o raglenni radio y cyfnod. Fel myfyriwr coleg a ddarllenai'r *Faner* a'r *Cymro* gwelwn ei enw o bryd i'w gilydd yn gysylltiedig â chyfrannu i ambell raglen ysgafn ond, yn fwyaf arbennig, clywed sôn amdano fyddwn i. Yn yr union gyfnod hwn roedd yn dechrau dod yn 'enw' ymysg y Cymry a ymddiddorai rywfaint mewn theatr a darlledu. Nid oedd, bryd hynny, hyd y gwn i, wedi dechrau ymenwogi yn ei ymwneud â rygbi.

Y theatr ddaeth â'r ddau ohonom at ein gilydd. A chadw at fy ochr fy hun i'r busnes hwnnw am funud, roeddwn wedi neidio ar unwaith at y cyfle a ddaeth i'm rhan, fel newyddian yng Ngholeg Bangor, i ymuno â chwmni drama Cymraeg y coleg.

Yn ystod Medi 1942 bu Cwmni Cenedlaethol o'r enw 'Chwaryddion y Geninen' yn teithio rhannau o dde a gogledd Cymru, yn cyflwyno comedi fedrus D.T. Davies, *Pelenni Pitar*, a thrwy lwc ces ymuno â nhw dros hanner ola'r daith fel un o'r cynorthwywyr llwyfan. Clywais ragor am Eic gan rai o actorion y cwmni dawnus hwnnw. Roedd Prysor Williams, Dai Williams a Jac James, yn arbennig, yn ei adnabod yn dda a sonient amdano fel cyd-actor ac fel un o ddramodwyr addawol y dydd. Gwyddai'r cynhyrchydd yntau, D. Haydn Davies, yn dda amdano. Yn ara' bach deuwn yn nes ato.

Y flwyddyn ddilynol ces ymuno â Chwaryddion y Geninen fel actor. Trefnid taith y cwmni gan Gyngor Gwasanaeth Cymdeithasol Cymru a Mynwy mewn cydweithrediad â'r sefydliad Prydeinig a adwaenid fel *The Council for the Encouragement of Music and the Arts* (CEMA), a baratodd y ffordd i Gyngor y Celfyddydau ein dyddiau ni. Penodid cynhyrchydd a disgwylid i'r person hwnnw, yn ei dro, benderfynu ar ddrama a dethol actorion o blith cwmniau drama

Cymru. Gwahoddwyd Cynan ar gyfer taith 1943 a dewisodd yntau gomedi afaelgar Idwal Jones, *Pobl yr Ymylon*. Aeth yntau ati i ddethol tri myfyriwr o Goleg y Brifysgol ym Mangor, sef Emrys Thomas, Gwawrwen Thomas a minnau. O gwmnïau eraill ledled y wlad, dewisodd Dai Williams, Evelyn Williams, Dilys Davies, Prysor Williams, Oswald Griffiths, Charles Williams ac Eic Davies. Dyna'r tro cyntaf i mi gyfarfod â'r ddau olaf, dau a ddaeth yn rhan werthfawr o'm bywyd o hynny ymlaen.

Rywbryd tua chanol Awst dyma gasglu ynghyd yng Nghaerdydd, ymarfer am bum niwrnod, hyd y cofiaf, ac yna teithio hyd siroedd y gogledd am gryn dair wythnos, ond gan gychwyn yn Nhregaron a Llanbedr Pont Steffan. Rhoes gyfle ardderchog i mi i osod sylfeini fy nghyfeillgarwch ag Eic a gallaf dystio'n ddiymwad i'r rheiny gael eu gosod yn gadarn y pryd hynny, heb iddynt gael eu siglo'r mymryn lleiaf weddill blynyddoedd ein hymwneud â'n gilydd.

Un o'r mannau yr ymwelwyd â hwy yn ystod y daith oedd Llan Ffestiniog (roedd *Pelenni Pitar* wedi ymweld â'r Blaenau y flwyddyn gynt ac felly roedd yn rhaid cadw'r ddysgl yn wastad) a rhoes hynny gyfle i mi i fynd ag Eic i gyfarfod â fy mam. Gwyddwn y byddai'r ddau yn siŵr o gyd-dynnu'n ardderchog â'i gilydd, ac felly y bu. Stwcyn byr, hwyliog, yn fawr ei ddiddordeb mewn pobl eraill oedd Eic yn y dyddiau hynny, difyr ei sgwrs ac yn sgùt am stori. Cafodd fy mam ei phlesio tu hwnt ynddo y dydd Sul hwnnw — roeddwn am iddo gael diwrnod cyfan yn yr hen ardal a chael blasu ei rhin yn llawn — a chafwyd seiadu melys. Wedi cinio euthum ag o am dro i lawr y lein fach, draw at geg-tynal, ac yr oedd ar ben ei ddigon. Ddeuddydd neu dri ynghynt roedd wedi cael clywed fod merch fach wedi ei geni i Beti ac yntau. Bethan oedd honno. Wrth basio Clogwyn Daniel sylwais fod y grug ar ei orau yno. Dringais beth o'r wyneb a thynnais dusw hyfryd ohono. 'I Bethan,' meddwn, wrth ei roi yn llaw Eic. Gweithred ffwr-â-hi ydoedd, rhywbeth sydyn ar y funud, ond yng ngolwg Eic bu'n rhan bwysig o'r rhwymyn rhyngom gydol y blynyddoedd. Fe'm hatgoffwyd ganddo droeon am y tusw grug hwnnw.

Ymhen amser deuthum yn dra chyfarwydd â'r teulu cyfan ym Mhen-twyn, Beti a Bethan a Huw (sydd mor debyg i'w dad erbyn hyn fel y byddaf ar brydiau yn gweld y ddau wyneb yn toddi'n un). Ac mor falch oedd y tad o'r teulu i gyd. Un ardderchog oedd Beti, yn ganolbwynt ei theulu ac yn ymroi'n ddygn a siriol i wasanaethu ei chymuned. Tra bu'r uned deuluol yn gyfan ni welais i erioed gysgod o'r aflwydd a ddaeth i ormesu ar Eic mewn blynyddoedd diweddarach.

Ond i ddod 'nôl at y daith ddrama, un o'r atgofion melys oedd y cwmnïa llawen a gaem, weithiau, ar ôl y perfformiadau. Canu, dweud straeon, adrodd, a digon o dalentau wrth law. Cynan gyda'i fonologau dramatig, yn enwedig honno am Largo o Dre Pwllheli, ar yn ail â thelynegion hyfryd megis 'Salaam' a 'Monastir', Dai Williams yn canu rhai o ganeuon ysgafn Idwal Jones gyda'r 'Dyn bach wedi drysu' a 'Magi' yn dod yn uchel ar y rhaglen, Dilys yn canu 'Yr eneth glaf', Charles yn rhyfeddu at y '*Beautiful Maid*' ac yn datgan i'r byd a'r betws mai 'Jane ni sy'n un iawn' ac Eic, bid siŵr, yn adrodd straeon am rai o gymeriadau bro Mynydd y Gwrhyd ac yn adrodd mewn tafodiaith a'n lloriai ni i gyd am y dyn bach hwnnw a 'bwtws'. Roedd ei ddawn i adrodd stori yn un arbennig ac un wedd ar y gyfrinach, yn sicr, oedd y dafodiaith. Diamau mai rhan o swyn honno oedd ei bod mor ddieithr i mi ar y pryd, ond rhyfeddwn hefyd at gadernid ei Gymraeg. Gwyddech ar unwaith eich bod yng nghwmni gŵr oedd wedi ei godi mewn cymdeithas oedd yn agos iawn at fod yn uniaith. Dylifai'r geiriau a'r ymadroddion yn ddilyffethair ac esmwyth heb na saib na checian i dorri ar y llif.

Flynyddoedd yn ddiweddarach ces gadarnhad o hyn pan aethom ein dau, yntau erbyn hynny yn gymydog inni yng Nghwmystwyth, i Fynydd y Gwrhyd er mwyn i minnau yn fy nhro gael gweld bro ei fagwraeth. Ar y daith honno manylodd fwy nag erioed o'r blaen am yr aelwyd a'r gymdeithas y bu'n rhan ohoni, yn blentyn a llanc. Soniodd yn arbennig am ei fam a'i famgu; am y tyddynwyr a'r glowyr gyda'u hoedfaon, eu cyngherddau a'u heisteddfodau yn y capel, am firi Tafarn y Roc, am gynhesrwydd mynych ymgasglu ynghyd ar aelwydydd. Hynny i gyd trwy gyfrwng un iaith, gyffredin i bawb. Ces wledd o wrando a daeth neilltuedd y fan yn fyw i'r meddwl. Doedd ryfedd fod ganddo'r fath gyfoeth o iaith lafar, a phan aeth ati'n ddiweddarach i lunio deialog ar gyfer dramâu gwyddech wrth ei gwrando a'i darllen nad oedd unrhyw ymdrech ymwybodol ar ran y dramodydd hwn i ddefnyddio priod-ddull a throsiad a chyffelybiaeth 'drawiadol'. Llafar ei lwyfan o oedd ei lafar ei hun ond ei bod, wrth gwrs, yn cael ei defnyddio mewn sefyllfa anghyffredin iddi ac felly o dan reolaeth crefftwr mewn iaith.

Daeth i fyw i Gwmystwyth ym Medi 1977. Prynodd dŷ wrth ymyl y siop yno a'i alw yn Pant-y-gamfa, ar ôl ei hen gartref ar Fynydd y Gwrhyd. Arhosodd yno hyd wanwyn cynnar 1982 pan symudodd i fyw at Huw a'r teulu yn Radur, Caerdydd. Yna, ychydig dros flwyddyn yn ddiweddarach, penderfynodd ddychwelyd i fyw yng Ngwauncaegurwen ac yno ar y Waun, yn Stryd y Dŵr, os cofiaf yn iawn, y bu ei gartref sefydlog diwethaf. Treuliodd ei flynyddoedd olaf mewn cartref henoed yn Yr Alltwen.

Yr allwedd i'r mynd a dod hwn yn ei hanes oedd ei awydd cryf i fyw yn annibynnol. Fe'i gwahoddwyd droeon gan y plant i ddod i fyw atyn nhw ond clywais ddweud ganddo fwy nag unwaith na fynnai fynd yn faich ar na Bethan na Huw, a'i fod yn benderfynol o fyw ar ei liwt ei hun. Doedd ganddo ddim ofn bod ar ei ben ei hun a gallai edrych ar ei ôl ei hun yn ddiffwdan ddigon.

Yn anffodus ni chafodd yr iechyd i wneud hynny. Yn hytrach, cafodd gyfnodau blin a bygythiol a fuasai wedi llorio sawl un o'i gydfforddolion llai gwydn o bersonoliaeth. Treuliodd wythnosau ar y tro mewn ysbytai yng Nghaerdydd, Abertawe, Caerfyrddin ac Aberaeron; misoedd lawer yn wir, o osod y cyfan o'r arosiadau hynny ynghyd. Y syndod yw iddo oroesi'r bygythion i gyd a phan welais o ddiwethaf, ychydig fisoedd cyn ei farw, gwyddwn fy mod yn sgwrsio â'r un hen Eic, yn sylfaenol, â'r gŵr byrlymus hwnnw a gwrddais gyntaf yn 1943.

Ymhlith yr ychydig lythyrau oddi wrtho sydd gennyf wrth law bellach (dyn ffôn oedd o, a deuai'r galwadau o bob congl o'r wlad) mae dau neu dri sy'n tystio i wytnwch ei bersonoliaeth wyneb yn wyneb â'r aflwydd seicolegol a'i blinai.

Dyma ddyfynnu o un ohonynt:

> Dafydd Huws yn blês dros ben — ciliodd y diabitis ymhen deuddydd . . . Bwyta a chysgu fel y boi a gwneud rhywbeth neu'i gilydd byth a beunydd, felly, tabledi dofi i ddechre heddi. Os wyt ti'n dod nôl i Gaerdydd a alwet ti ym Mhant-y-gamfa . . . a dod â (1) Cot wen sydd wrth y gronfa drydan yn wynebu drws y dwyrain — afon Ystwyth. Galetet ti hi imi? — newydd 'i golchi cyn dod lawr. (2) Trowsus rib brown — stafell y llyfre — gang o drowsuse ar y wal i'r chwith o'r drws 'uz iw entyr'. (3) Y teipiadur a pecyn o ffwlscaps sydd ar yr astell y tu hwnt i'r gwely . . . (4) Mae gen i bâr o lasus haul yn cael i gwella yn lle Watson . . . Os wyt ti'n mynd i Aber ishws a alwet ti amdanyn nhw? Alla' i ddim meddwl am ddim byd arall, heblaw'r ffwrn a hanner potel o DOM! Wedi bod ymysg yfwyr y BBC ddwywaith heb gymryd dim ond sudd tomato. Ma' gen i ofn yn 'y nghalon yr a' i mor sych â'r Doc i hunan!

Prociad bach amwys i mi oedd y diweddglo.

Dinas barhaus yn y Cwm ond Cymru oedd ei libart. Crwydrwr cyson, na wyddech pryd y deuai heibio — berfedd nos neu gyda'r wawr. Ond gan amlaf hefo rhyw anrheg neu'i gilydd yng nghefn y car. Chwedl Phyllis unwaith amdano: 'haelioni ydi enw canol Eic' ac y mae sawl teclyn a thegan yn y tŷ 'ma sy'n tystio i hynny.

Gellid ychwanegu rhinweddau eraill at y rhestr; un yn arbennig iawn — teyrngarwch. Dyma ddyfyniad eto o un o'i lythyrau:

> Rwy'n dod i Radur dros y penwythnos a charwn gael gair

dydd Sul. Rwy'n mynd i angladd Carwyn (preifat ne bido) i fod yno gyta fe — ar yr hewl neu rwle.

Mae'r 'neu rwle' hwn yn ddadlennol. Pan yn rhydd o grafanc y felan filain gwelai'r byd, ei bethau a'i bobl, yn eitha' clir ac nid oedd anwadalwch yn ei ymrwymiad i'r gwerthoedd a etifeddodd ar Fynydd y Gwrhyd. Yn fy holl ymwneud ag o ni chefais unwaith fy nadrithio. Bu ei nabod yn fendith.

Dr Meredydd Evans

Reit-ho! Bant â'r Cart

'Eic, beth yw *oxygen* yn y Gymraeg?'

Dyna gwestiwn ofynnais i iddo yn 1948. Roeddwn i wedi cyrraedd Ysgol Ramadeg Pontardawe yn athro Cemeg, lle roedd e'n athro Cymraeg ers dwy flynedd. Roedd dalgylch yr ysgol fach gartrefol hon yn cynnwys ardaloedd Cymreig, fel Y Waun, Yr Alltwen a Rhos, a'r Felindre, ac o'r ddau ddosbarth derbyn blynyddol roedd un yn rhyw fath o Gymraeg. Roeddwn i wedi derbyn cais oddi wrth Bwyllgor Addysg Gorllewin Morgannwg, credwch neu beidio, i wneud arbrawf ar ddysgu ychydig o wyddoniaeth trwy gyfrwng y Gymraeg . . . Heb lyfryn na geirfa na phrofiad, na neb i gynorthwyo. Ond Eic!

Trannoeth daeth ateb ganddo.

'Rwyt ti'n wedi gofyn i fachan pert. Dere weld, beth yw e'n Saesneg? Fentra' i taw o'r Groeg mae e'n dod yn wreiddiol, "ocsi-" fel tase fe'n golygu asid neu rhywbeth sur, a "gen" yn golygu geni wrth gwrs. Fentra' i taw rhywbeth i gynhyrchu asid yw *oxygen*.

'Dyna mae Geiriadur Bodfan yn ddweud,' myntwn i.

'Reit-ho! yno gweles i e. Galw fe'n 'ocsigen', mae e cystal gair Cymraeg ag yw e o Saesneg.'

Roedd e'n un da am fathu termau. Onid oedd eisoes wedi rhoi sylwebaeth ar ambell gêm rygbi, ac onid oedd ei fryd ar gael sylwebaethau cyson ar chwaraeon yn y Gymraeg? Erbyn 1951 daeth y freuddwyd yn ffaith. Eic oedd yn bennaf gyfrifol am dermau fel 'blaenwr', 'canolwr', 'cefnwr', 'maswr' a 'mewnwr', 'asgellwr' a 'llimanwr', 'golwr' ac ati, sy'n llifeirio mor naturiol o enau Huw Llywelyn ei fab erbyn hyn. Ei derm pert am y chwarter cylch sydd ar gornel cael pêl-drpoed oedd 'llygad y lluman'.

'Ma' siawns 'da ni i lansio rhaglen newydd sbon ar chwaraeon ar y Radio, ac ma' dicon o'i hishe hi hefyd. Ma' Wyn Williams BBC yn addo deng munud yr wythnos i ni,' medde fe un bore ar ôl tanio'i bib gam.

'Pwy yw'r 'ni' 'ma Eic?'

'Wel, Jac Elwyn Watcyns a Llew Rees i wneud rygbi, ti a Gynedd Pierce i wneud pêl-droed, ac fe gawn ni Rhys Williams a Terry Davies i ddod i mewn aton ni. Fe ddaw Moc Morgan i sôn am hela a physgota sbo, a Howard Lloyd i sôn am bopeth arall.'

Felly y bu. Cyfarfod yn Park Place Caerdydd, trefnu dwy raglen, a dyna ni ar yr awyr, yn fyw, bob nos Fawrth. O Gaerdydd ddaeth y gyntaf; yn yr ail oeddwn i. Doedd dim Cymraeg ar radio cyn hanner nos bryd hynny. Fe gofia' i am byth y siwrneiau yn y mini bach i Gaerdydd, ac yn ôl yn oriau mân y bore — am straeon difyr Eic, am steddfota pan oedd e'n grwt, am rai o gymeriadau unigryw y Rhiw-fawr a Chwm-llynfell, am goliars a giaffars, am ffâs, a gob a silicosis, a'r sbri am gael ein cyhuddo gan y BBC bod gormod o acen Cwmtawe yn ein sgyrsie ni. A 'na noson w, pan stopodd plismon ni am dri o'r gloch y bore ar y rhipyn 'na uwchben y Glais.

'*Licence*!' medde'r Glas braidd yn swrth.

'Dim Saesneg,' atebodd Eic, er ei fod yn amlwg wedi deall y gair *licence*, waeth fe estynnodd honno iddo.

'*Where have you been, and where are you going at this time o night?*'

'Dim Saesneg,' medde Eic yn ddigon cwrtais.

'*I can't speak your Welsh,*' medde'r Cymro uniaith.

'Dim Saesneg,' mynnodd Eic.

'*Bugger off then!*'

Mae'n amlwg i Eic ddeall y gorchymyn hynny, waeth bant â'r cart oedd hi ar unwaith.

'Glywest ti 'na nawr, ne' o't ti'n cysgu?'

'Esgus cysgu o'n i.'

'Sei'n ffitach se fe'n cysgu yr amser hyn o'r bore hefyd. Allwn i fod wedi'i fwrw fe lawr, yn nido mas o'r clawdd fel'na.'

Gallase fod hefyd. Llygad dda, ymateb cyflym, a mini hollol ddibynadwy arbedodd ddamwain y bore hwnnw. Roedd e'n dwli ar y mini bach, ac yn cadw cownt o'i holl deithiau. Galle Eic ddweud sawl milltir oedd e wedi'i wneud a sawl galwyn o betrol odd e wedi yfed 'fis Mai dwetha'.

Mae'n siŵr y galle fe ddweud sawl milltir sydd rhwng y Waun

a Threforys hefyd, waeth fe nghariodd i a Dilys a'r plant sawl bore Nadolig di-gar, di-drafnidiaeth, i ni gael ymweld â mamgu a thadcu y rhai bach. Fynne fe ddim mo'i dalu am y gymwynas — fel petai modd yn y byd i wneud hynny, 'Fi gynigodd yntefe?'

Roedd to y car bach yn gallu agor, oedd wir, bryd hynny, ac wrth ddringo i mewn, wedi tano'i bib gam, cyn troi'r allwedd, mi fydde'n sleido'r to nôl a gofyn, 'Beth wyt ti'n feddwl o'r hedrwm?'

Fe oedd y cyntaf erioed glywais i'n dweud hynna.

Bu'r gynneddf cadw cownt yn fantais fawr iddo. Roedd perthynas Eic â phlant ei ddosbarth yn agos iawn er fod ei ddisgyblaeth arnynt yn llwyr. Cymerwch ymarfer ei ffars *Cwac-Cwac* er enghraifft:

Mi fydde Eic yn cofio i'r dim ymhob practis sawl modfedd ddyle fod rhwng Sal a'r cloc larwm 'na, a sawl eiliad fydde eisie i'w nôl fel bo Dic yn gallu cyfri pwls Wili Tom. Yn ddiau dyna un o gyfrinachau llwyddiant Ysgol Ramadeg Pontardawe yn Steddfodau'r Urdd yn ei gyfnod ef. Hynny a'r ffaith i do ar ôl to o blant disglair godi yno. Rhai enillodd glod yn ddiweddarach, ac sy'n dod i gof yn sydyn yw Siân Phillips, Dafydd Rowlands a Meirion Evans, Eifion Powell a Gareth Watts, Gwyn Howells a Mari Hopcyn, a Huw Llywelyn wrth gwrs. Maddeued y lleill imi am gof araf.

Cymerwch whare cardie yn enghraifft arall. Bu cynnydd mawr yn rhif disgyblion yr ysgol ar un cyfnod, cymaint fel bu'n rhaid cael tair eisteddiad i ginio, gan mor fach oedd y ffreutur — cyfle felly i'r staff gael ymlacio'n llwyr.

'Gêm o *Bridge* bois?'

'Reit-ho!' a bant â'r cart.

Roedd Eic yn cofio pob carden, ac ro'n ni'n dau yn deall ein gilydd i'r dim. Pan fydden ni'n colli gêm o *Bridge*, ar y cardie oedd y bai, dim dwywaith. O'dd e'n fwy o gamster fyth wrtho'i hunan yn whare *Solo Whist*. Fydde fe byth yn methu'i alwad yn honno, byth!

Roedden ni'n dau yn, wel, beth weda' i, yn *approachable*? Daeth Mari Hopcyn at ddrws stafell yr athrawon un bore a gofyn yn dyner, mewn llais bach na alle neb, heb sôn am Eic a fi, warafun dim iddi.

'Fydde chi'n fodlon translato dwy gân i fi erbyn nos fory syr, plis?'

'Erbyn nos yfory?'

'Ie, rwy'n canu dwy gân mewn *concert* nos Sadwrn. Dyma'r geirie Saesneg.'

'Gwyn cymer di un, ga' i siot at y llall.'

Bu'r noson honno'n un brysur i'r ddau ohonom . . . ond ymhen rhai misoedd, roedd Mari'n canu 'Mae Bob Awr', ac 'Yn y Bore' ar record boblogaidd.

Fydde Eic ddim wedi meddwl dwrdio'r un fach am ddefnyddio ambell air Saesneg. Mi fydde'n rhoi cwestiynau fel hyn yn ei bapurau arholiad weithiau:

'Cyfieithwch y brawddegau hyn:

Mae *Welsh* gyda ni ar ôl *break*.

Wnewch chi translato *song* i fi?'

Nid anaml y doi gwên i wyneb ambell blentyn wrth ateb papur Eic. Roedd e'n dweud bod 'Mae gen i *Welsh* ar ôl *break*' yn fwy Cymreig na '*I've got* Cymraeg *after* seibiant'. A chlywais Cliff Morgan yn cytuno gydag ef. Nabod Cliff Morgan? O'dd Eic yn nabod pawb, ac fe fydde wrth 'i fodd yn cyflwyno enwogion i'w chweched dosbarth: D.J. Williams, T. Llew Jones, Rhydwen Williams, Waldo Williams, Kitch, pwy bynnag fydde'n awdur astudiaeth y flwyddyn.

★ ★ ★

Doeddwn i byth yn hapus yn ymweld ag e yng nghartre Yr Alltwen. Rhywbeth fel hyn fydde'r sgwrs am yr ysgol yn mynd:

'Pryd welest ti John Morgan ddiwetha?'

'Wedi marw, Eic.'

'O ydy wrth gwrs, a Stan.'

'Ydy, a Fred, a Tom, a Percy.'

'Duw, dim ond ni sy' ar ôl? Na, dere weld, rwy'n rhannu stafell 'da Iwan w.'

'Ac ma' Watcyn yn cofio atoch chi, ac Agnes.'

'Odyn nhw wir? Cofia fi atyn nhw . . . '

'Rhaid i fi fynd nawr Eic.'

'Reit-ho! Pnawn da. Bant â'r cart.'

Gwyn Davies, Pontardawe

Eic

Nid yw y garreg yn dweud 'gwladgarwr'
Ar wely Isaac yr hen arloeswr,
Ond tra ar y maes y tery maswr
Ei gôl adlam gyda sgil ochrgamwr
Bydd eto ar go' dermau'r gŵr — ar waith
Yn saga'i iaith tra bo cais ac wythwr.

Dic Jones

Dyn y Deunydd Chwerthin

Perl enfawr o anrhydedd yw cael cyfle i dalu teyrnged i Eic Davies, un a gyfrannodd yn helaeth i'r ddrama Gymraeg, i'r Eisteddfod Genedlaethol ac yn arbennig i weithrediadau'r Babell Ddrama ar y Maes, fel cystadleuydd a beirniad.

Er i mi glywed amdano am y tro cyntaf pan enillodd e gystadleuaeth sgrifennu drama un act yn Eisteddfod Genedlaethol Hen Golwyn yn 1941 gyda'i ddrama *Y Tu Hwnt i'r Lleni*, a thrachefn yn y flwyddyn ganlynol yn Aberteifi, gyda'i gyfaddasiad pert o un o straeon byrion Maupassant ('Cynaeafau'), ni ddeuthum wyneb yn wyneb ag e tan 1947, pan gynhaliwyd ysgol ddrama yng Ngarthewin. O'r adeg honno ymlaen buom yn gyfeillion agos iawn hyd at ei waeledd angeuol.

Cefais groeso tywysogaidd ar ei aelwyd yn Nhroedyrhiw, ger Merthyr, pan oedd e'n dysgu yn Ysgol Quakers' Yard, ac yna sawl gwaith, pan oedd e'n athro yn Ysgol Pontardawe, ac yn byw yn Heol Coelbren Uchaf ar y Waun — Upper Coelbren St oedd yr enw swyddogol, nes iddo fe symud yno i fyw!

Roedd e'n caru ei filltir sgwâr yn angerddol, ac mi fydde'n hoffi dyfynnu cwpled Morgan Llwyd, un o'i arwyr o:—

> Nid hawddgar ond a'th garo
> Fy annwyl breswyl a'm bro.

Crwydrais gydag e sawl gwaith i weld ei fam, a'i deulu, a hen ffrindiau yn yr hen gartre yng Nghwmtwrch a'r Alltwen, a galw yn Nhafarn y Roc — mi wela' i e nawr, yn tanio'i bib a galw am beint i bawb oedd o'i gylch. Ardal ddifyr a chyfoethog iawn ei thraddodiadau oedd hon. Magwyd ef yn sŵn hen gerddi gwlad, penillion telyn a baledi; dysgodd rigymu yn gynnar, a gadawodd ddiwylliant gwerinol ei ardal argraff ddofn arno. A thrwy gymysgu â phrydyddion y cylch, gwerin pobl ddifyr y cerddi a'r baledi, daeth Eic yn naturiol i fynegi ei hun ar lafar ac ar bapur.

Talfyrodd ei enw bedydd 'Isaac' i 'Eic' ond nid personoliaeth unsill oedd e, o ran corff, meddwl na diddordebau, ond cymeriad lliwgar ac amryddawn — heddychwr, cenedlaetholwr, gŵr didwyll a gonest, yn casau gormes a thrais a rhagrith.

Ar ôl y Rhyfel, yn 1948, ailffurfiwyd Chwaraewyr y Genhinen, o dan nawdd Cyngor Gwasanaeth Cymdeithasol Cymru — cwmni teithiol o actorion dethol o dde a gogledd Cymru, oedd yn ymarfer am bythefnos, o dan Haydn Davies un flwyddyn, a Chynan y flwyddyn wedyn, ac yna yn cyflwyno eu cynhyrchiadau fynycha' ar lwyfannau cyfyng, yn neuaddau distadl ardaloedd gwledig Cymru. Chwaraewyd dwy ddrama yn '48, sef *Adar o'r Unlliw*, drama un act gan J.O. Francis — a chyfaddasiad Saunders Lewis o'r *Doctor ar ei Waethaf* gan Molière. Yn y cwmni roedd actorion enwog fel Prysor Williams, Moses Jones, Jack Jones, Rachel Howell Thomas, Gwenyth Petty a rhai llai enwog fel Eic a minnau. Yn ystod y daith hon gwelais newydd wedd ar Eic — un na sylwais arno o'r blaen. Oherwydd byddai Eic yn dioddef o byliau o iselder. Dyna lle byddai a'i ben yn 'i blu ac yn gwrthod codi o'i wely yn y bore, heb yn torri gair â neb, hyd yn oed â'i ffrindiau agosaf.

Mae'n amlwg iddo fod yn garcharor i'r felan greulon am ysbeidiau ar hyd ei oes — a doedd dim esboniad am hyn, hyd y gwelwn i. Roedd ganddo angyles o wraig, Beti, oedd yn debyg i Forfudd Dafydd ap Gwilym, a dau o blant annwyl, Bethan a Huw. Wrth gwrs doedd e ddim yn or-hapus fel athro ysgol, ond roedd y baich yn cael ei ysgafnhau trwy sgrifennu dramâu ar gyfer rhai o'i ddisgyblion ac Eic yn eu hyfforddi, gyda blas a gwefr a dychymyg, ar gyfer cystadlaethau Eisteddfod yr Urdd — ac wrth gwrs yn fuddugol bob amser.

Doedd ei ddim yn uchelgeisiol ychwaith, a tase fe hyd yn oed yn awyddus i ddyrchafu ei hun yn ei alwedigaeth, fydde fe ddim yn barod yn y Forgannwg bryd hynny i foesymgrymu ac i lyfu pen-ôl; ysywaeth fe'i meddiannwyd e gan y fagddu dragwyddol honno, sydd wedi tagu'r Artist y Philistia, trwy'r canrifoedd.

Yn haf 1950, a minnau ar y pryd yn darlithio ar y ddrama yn un o golegau Wrecsam, anfonodd Eic lythyr ataf i yn cynnwys hysbyseb o'r *Western Mail* gyda'r wybodaeth fod Caerdydd yn bwriadu apwyntio Trefnydd Drama i'r ddinas, yn ogystal â Phennaeth yr Adran Ddrama yn y Coleg Cerdd a Drama, oedd newydd ei sefydlu yng Nghastell Caerdydd. Doedd ond deuddydd ar ôl i ddanfon y cais i mewn. Sut bynnag, bu'r cais yn llwyddiannus, a bûm yn y swydd am wyth mlynedd fel Pennaeth yr Adran, ac wedyn am chwarter canrif fel Prifathro ar y Coleg. Ac Eic oedd yn gyfrifol am fy nhynged yn y lle cyntaf.

Gwnaeth gyfraniad arbennig i'n hiaith lafar, pan oedd hi mewn argyfwng enbyd — ei frawd-yng-nghyfraith, Lyn Howell, yn gofyn iddo am enw Cymraeg i'r *Wales Tourist Board* ac ar ei union Eic yn cynnig 'Bwrdd Croeso Cymru', a'r Bwrdd Croeso y bu o'r diwrnod hwnnw hyd heddiw. Bathodd eirfa i'n gêm cenedlaethol, sydd erbyn hyn yn gymeradwy a derbyniol ac yn llithro ar y dafod mor rhwydd ag un, dau, tri — canolwr, cefnwr, blaenwr, asgell chwith ac asgell dde, cais, cic gosb ac yn y blaen, a hyfryd yw gwrando ar Huw Eic yn defnyddio creadigaethau ei dad, i loywi'n mwynhad ni o'r chwarae yn ei sylwebaethau ar y teledu yng Nghymru a thramor.

Ond gadewch i mi gloi'r ysgrif, trwy sôn am gyfraniad unigryw Eic i'r ddrama Gymraeg. Nid gormodiaith fyddai dweud ei fod yn perthyn i linach y Mabinogi, Talhaearn a Thwm o'r Nant. Yn y gomedi a'r ffars un act y mae ei gryfder, cynaeafu yng ngwinllan y delyneg a'r soned, yn hytrach na'r awdl a'r cywydd. Gellid disgrifio ei holl waith, fel y cyfeiriodd Saunders Lewis at ei ddrama *Eisteddfod Bodran* fel 'deunydd chwerthin'. Cwmpesir y chwerthin gan stori â dechrau, canol a diwedd iddi, gyda chymeriadau crwn yn siarad deialog llithrig, llefaradwy, cynnil, a chyflymder di-wastraff yn rhedeg trwy'r cyfan.

Bu'r beirniaid yn ei annog i droi 'i law at y gomedi hir, rhywbeth mwy sylweddol a meddylgar a fyddai'n adlewyrchu y Gymru gyfoes ac yn dadansoddi problemau dyrys y dydd. Ond athrawiaeth syml Eic oedd bod rhaid cadw cynulleidfa ar ddihun, trwy oglais y galon a'r meddwl gyda'r galon yn cael y flaenoriaeth bob amser.

Cofir ef yn arbennig fel arloeswr mewn sgrifennu dramâu i blant, ond yn ei holl waith — ac mae yna swmp sylweddol ohono — mae'n apelio at y plentyn tragwyddol ynom ni i gyd, y byd o hud a lledrith, y Tylwyth Teg, y synhwyrau — rhamant ar ei binacl.

Rhydd y gyfrol hon gyfle i ni ei gofio, a mawrygu ei enw, a rhoi diolch iddo am fywiocau'r bererindod i ni oll.

Dr Raymond Edwards

Yr Athro Tadol

Ble mae dechrau talu teyrged i ŵr a gafodd cymaint o ddylanwad ar fy mlynyddoedd cynnar? Eic oedd o i bawb o'i gyfeillion wrth gwrs, ond i mi fel disgybl ysgol, Mr Davies bob amser; hyd yn oed yn nyddiau machlud ei fywyd, dyna sut y byddwn i'n arfer ei gyfarch. Nid oherwydd rhyw 'barchedig ofn' ychwaith — parch yn sicr, ond nid ofn. Oherwydd athro tadol iawn fu'r gŵr yma a arferai bwyso a mesur ei eiriau dros ei bib.

Yn 1959 y dois i i gysylltiad ag Eic Davies am y tro cyntaf, a hynny ar fy niwrnod cyntaf un yn Ysgol Ramadeg Pontardawe — yr 'Ysgol Fowr'. Fel crwtyn bach o Gwm-gors roedd y diwrnod hwnnw yn dipyn o gam. Gorfod trafaelu ar y bws i'r ysgol am y tro cyntaf, cwrdd â llond lle o blant newydd, heb sôn am athrawon — llawer iawn ohonynt yn siarad yr iaith fain.

Ond ynghanol y môr yma o ddieithriaid, fel iâr yn edrych ar ôl ei chywion, roedd Mr Davies — yn arbennig y disgyblion hynny o'r Waun neu Gwm-gors. Rwy'n cofio mor gartrefol y byddai'n gwneud i ni deimlo gyda'i holi, 'Mab pwy wyt ti 'te?' Yntau'n gwybod yn iawn pwy oedd pwy. Y gwir amdani oedd ei fod yn cwrdd â thadau llawer ohonom un ai ar Barc y Werin, cae rygbi Cwm-gors, ar yr ychydig Sadyrnau oedd yn rhydd ganddo, neu dros beint yn y *Buffs* ar y Waun ar nos Wener.

Roeddem ni i gyd yn 'disgwyl lan' i Mr Davies. Yn y lle cyntaf, roedd e'n byw mewn tŷ swanc yn Heol Coelbren Uchaf ac wrth gwrs, roedd e'n gyrru car, tra oedd y rhan fwyaf ohonom yn gorfod dal bws y '*South Wales*' — rhif 18 i Abertawe, neu bws 'James'. Doedd ryfedd felly, pan oedd siawns i wneud cymwynas drosto, ein bod yn neidio at y cyfle. Rwy'n cofio ar fwy nag un achlysur, cael fy ngyrru ar neges i'r stafell athrawon, i nôl llyfrau o flwch arbennig gan amlaf. A minnau wedyn yn pori trwy'r llyfr ar y ffordd yn ôl er mwyn rhoi'r argraff fy mod i'n deall pob gair!

Ychydig iawn feddyliais i, ar ôl dwli cymaint ar gar Mr Davies, y buaswn i fy hun yn cael teithio ynddo fe. Yn yr ail flwyddyn yn yr ysgol oeddwn i pan ddaeth cyfle i gymryd rhan mewn cwis, a chael mynd i lawr i stiwdio'r BBC yn Abertawe. Mae brith go' gen i o'r hen stiwdio ar yr ail lawr, a Gwynedd Pierce yn llywio'r rhaglen. Ar ôl y recordio wedyn, cawsom bryd o ffish a tships yn y Windsor Café ynghanol y dref ac yna gartref yn y car a siarad am rygbi yr holl ffordd nôl.

Roedd Eic Davies yn dipyn o seicolegydd; ar ôl rhoi cyfle i mi flasu peth o fyd darlledu, y cam nesaf oedd cymryd rhan yn un o'i ddramâu yn Eisteddfod yr Urdd yn Aberdâr. Daethom yn ail parchus i Goleg Llanymddyfri — a oedd wedi eu hyfforddi gan Carwyn James — gyda pherfformiad o *F forshêm* o eiddo Eic ei hun. Ni chawsom ein beirniadu ganddo am beidio â chyrraedd y brig, dim ond gair o ganmoliaeth yn ei le; iddo fe, cymryd rhan oedd yn bwysig.

Fel un o hoelion wyth Plaid Cymru, roedd e'n gadarn yn y ffydd, ond serch hynny, wnaeth e erioed geisio dylanwadu arnom ni yn wleidyddol pan oeddem yn yr ysgol, ddim yn ymwybodol felly. Eto, roedd yn hynod falch o'n cefnogaeth gartref yn y pentref, wrth i ni genhadu o ddrws i ddrws neu osod ambell i boster ar bostyn lamp. Nid ar chwarae bach oedd ceisio newid meddyliau y trigolion mewn pentref lle roedd y Blaid Lafur yn achub y blaen ac yn erfyn ar y glowyr, pleidleiswyr traddodiadol y blaid honno. Ond fe lwyddwyd rhywsut, a charreg filltir yn hanes y Blaid oedd i Beti, ei wraig, gael ei hethol yn gynghorydd. Bu'n weithwraig ddygn dros bawb, yn ogystal â bod yn gefn mawr i'w gŵr. Fe'i collwyd yn llawer rhy gynnar yn ei bywyd.

Ar ôl eistedd arholiadau Lefel O, a llwyddo mewn Cymraeg iaith a llên, dyma gnoi cil dros pa bynciau i'w cymryd yn y chweched dosbarth. Roedd yr awydd yno' i fwrw 'mlaen gyda Cymraeg, ond gan 'mod i â mryd ar astudio Addysg Gorfforol yn y Coleg, Bioleg gafodd y flaenoriaeth.

Wnaeth Mr Davies ddim derbyn y newydd yn llawen, ond chwarae teg iddo, er cymaint ei siom, fe lwyddodd i guddio hynny. Fodd bynnag, fe naddwyd ei eiriau, 'Cofia, rwyt ti'n dysgu trwy iaith yn hytrach na dysgu iaith,' ar fy ymwybod. A phan gyrhaeddais i Goleg y Drindod, Caerfyrddin, fe benderfynais gyfaddawdu, a chymryd Cymraeg ac Addysg Gorfforol fel prif bynciau.

Bellach, a minnau'n prysur gyrraedd yr hanner cant oed, rwy' innau, fel Gwenallt yn 'gweled y bobl a fowldiodd ei fywyd ef', — ac rwy' wedi penderfynu gwneud gradd yn y Gymraeg dan law yr Athro Hywel Teifi Edwards. Mae'n debyg y bydde Mr Davies wrth ei fodd fy mod wedi gwrando arno o'r diwedd — ddeng mlynedd ar hugain yn ddiweddarach.

Ar ôl i mi ddechrau darlledu a chyfrannu i 'Byd y Bêl' ar fore Sadwrn, y cyntaf i gynnig cyngor oedd Eic, fy hen athro, tad y rhaglen arloesol, 'Y Maes Chwarae'. Ac yn sicr, os y bu i mi wneud cyfraniad bach i fyd newyddiaduraeth a darlledu chwaraeon trwy'r Gymraeg, yna i Eic Davies, y bathwr geiriau y mae'r diolch.

Yng ngeiriau Waldo —

>'Beth yw adnabod? Cael un gwraidd
>Dan y canghennau.'

Do, fe osododd Eic Davies wreiddiau cadarn ym mhob un ohonom, ei gyn-ddisgyblion, a braint oedd cael ei adnabod.

Royston James

Mr Davies

Roedd ei fam, Gwen y Parc, yn gymeriad, a'i diddordeb yn yr iaith lafar yn ddiarhebol. Câi flas anghyffredin ar dynnu ple â hwn a'r llall ar ei ffordd o'i chartre anghysbell ar Fynydd y Gwrhyd i eisteddfodau, lle y cychwynnodd ei chrwt bach, Eic y Parc, ar ei yrfa gyhoeddus, neu pan fyddai yn ei bwrw hi i weld ei thylwyth. O bryd i'w gilydd deuai i roi tro am deulu'r 'Bwthyn' yng Nghwm-gors. A phan fyddai pawb wrthi â'i bwt neu stori fe'i gwelid hi, mae'n debyg, yn troi cornel ei ffedog wen yn ôl ac yn sgrifennu rhyw ddywediad, neu air dierth iddi, â blacled rhag ofn iddi'u hanghofio ar y ffordd faith tua thre. Doedd ryfedd yn y byd i'w mab fod mor fain ei glust i'r iaith lafar ac mor gyfoethog a gloyw ei barabl.

Fe gawsom ni, blant Ysgol Ramadeg Pontardawe, flas ar iaith Mr Isaac Davies cyn i ni erioed ei weld na'i glywed e yn y cnawd. On'd oedd *Y Dwymyn* o'i eiddo, a gynhyrchwyd gan ei ragflaenydd goleuedig, Mr Brinley Rees, yn nes at ein hiaith ni nag unrhyw ddrama arall, a tae'n dod i hynny, nag unrhyw ddarn o lenyddiaeth yn ein profiad byr — ar wahân i storïau Islwyn Williams? Doeddem ni erioed o'r blaen wedi darllen mewn print eiriau cyfarwydd i'n clyw megis *cramwtsh, consárn, picil* a *phishyn, ffein* a *sang-di-fang, cwato* a *rhwto, wepan* a *boddran, sgathrwch* (hi) a *fe weithiff*, na'r ymadroddion cartrefol hynny: *stop lamp, yn bŵer o beth, fe fyddai'n ffitach gwaith* a *reit i wala.* Gwelsom orseddu'r gofynnol *pwy gyfer* mewn ystyr neilltuol ar *ble*, y ffurf gywasgedig *iddi* yn lle *i'w* mewn ymadroddion megis *iddi nôl e* ac *iddi gael e* a'r ffurf *planced* ar *blanced* yn cael ei chydnabod. Cododd awch ynom am ragor. Ychydig a wyddem beth oedd o'n blaenau.

Mawr oedd y cyffro pan ddeallwyd bod yr awdur ei hunan yn dod i weld perfformiad o'r ddrama, a syndod y byd fu clywed ymhen ychydig fod y dramodydd enwog a'r beirniad o fri yn ymuno â staff yr ysgol, ac, ar ben hynny yn dod i fyw ar y Waun. Deuai'r cantorion Rowland (Tim) Jones a Rhydderch Davies yn ôl am dro, nawr ac yn y man, ond doedd neb enwog yn *byw* yn y pentre!

Os oedd ei fam yn gymeriad, daethom i weld yn bur gynnar taw 'bachan budr' (yn ein hystyr dda ni yn y de) oedd Eic, fel y cyfeiriem ato yn ei gefn. Yn ei wyneb, cofiwch, 'Mr Davies' fu e ar hyd ei oes, er closied ein cyfeillgarwch, gyda'r blynyddoedd. Na, yn wahanol i lawer o'r athrawon eraill, doedd gyda ni ddim llysenw arno fe. Ta beth, yr *oedd* e'n wahanol iawn, iawn i athrawon eraill.

Welsoch chi yn eich byw ŵr mor llonydd o flaen dosbarth â'r stwcyn bach tagellog, gwritgoch hwn — cnwd o wallt tonnog ar ei ben, pib farw yn fynych yng nghornel ei geg, a'i lygaid huawdl drwy ei sbectol, neu dros ei hymyl, yn ein disgyblu heb iddo orfod codi'i lais o gwbl. Roedd clywed y Gymraeg yn cael ei llurgunio yn dân ar ei groen a phan ddôi camdreiglad neu bechod gwaradwyddus arall i'w glyw byddai'i wyneb yn gywir fel tasai fe newydd sugno lemwn neu yfed llwnc o de wermwd. Profiad arteithiol i'r archdreiglwr y daeth hi'n hawdd 'nabod ei ysgrifau yn *Y Faner* yn sôn am fynd 'i Dwicenham' a bod 'yn Nhwicenham', am 'Farri John' neu 'Fili Raybould' a 'Chlem' a 'Charwyn' a 'Cheri' a 'Chlive'.

O do, fe sylweddolwyd o'r maes gyntaf un fod yma athro pur anghyffredin pan wysiwyd dwy ohonom gerbron y dosbarth i lunio deialog ar-y-pryd rhwng hen sipsi yn gwerthu nwyddau a gwraig tŷ ar garreg y drws. 'Fyddai hynny ddim yn rhyfedd heddiw, ond rwy'n sôn am gyfnod pan fyddai'r athrawon eraill ar eu heithaf yn rhoi taw arnom ac yn ein siarso i beidio â chyffro o'n lle.

Does dim dwywaith nad oedd Eic yn arloeswr yn ei ddulliau dysgu. Doedd e ddim yn un i fradu sialc na gwneud i atgynhyrchu nodiadau di-ben-draw. Na, dull y derwydd a'r disgybl oedd gydag e, yn dweud pethau mewn ffordd gofiadwy ac yn ysgogi ymateb. Sylweddolai werth y ddrama i loywi iaith, i greu diddordeb ac i godi hwyl wrth ddysgu'r Gymraeg. Dyna pam y daeth cynifer o gomedïau o stabl *Dramâu Llynfell* a pham y gwelid ei gar yn orlawn o gyw-actorion a chelfi llwyfan yn ei bwrw hi am Eisteddfod yr Urdd neu noson o ddramâu. Ac âi â'r chweched dosbarth i bellafoedd Cymru i weld ambell gynhyrchiad prin.

Fe'n hanogai i ymateb i raglenni radio drwy hala gair at y cynhyrchydd. Ac roedd yn ddigon hirben i osod ambell dasg i bwrpas. Sawl dosbarth, sgwn i, fu'n llunio llythyr at Alun Oldfield Davies yn gofyn am fwy o raglenni Cymraeg ar y radio? 'Politics' i ormod o Gymry cibddall y cyfnod. Hawl naturiol cenedl, ac urddas dyladwy i'r iaith i leiafrif fel Eic a'i debyg — athrawiaeth a barodd iddo fe a chyd-fyfyrwyr o gyffelyb anian greu chwyldro yn hanes dysg yn 'y Coleg ger-y-lli' drwy ddarbwyllo yr Athrawon T. Gwynn Jones a T.H. Parry-Williams i ddarlithio o hynny ymlaen drwy gyfrwng y Gymraeg yn lle'r Saesneg.

Oedd, roedd yn arloeswr yn ei syniadau, ac yn ei weithredu, ymhell cyn i Saunders Lewis draddodi ei ddarlith radio. Sgrifennai lythyron swyddogol bob amser yn Gymraeg. Mynnai mewn cwmni bach ac ar goedd o lwyfan neuadd anferth Gwauncaegurwen, y dylid arddel enwau Cymraeg trefi a phentrefi a hynny yn eu ffurf gywir. Dadleuai y dylid defnyddio deunydd yr 'e' estron a roddid wrth gwr 'Cwm-gors', i ddynodi'r sillgoll angenrheidiol yn enw 'Tai'r-gwaith'. Safodd dros yr egwyddor o ddefnyddio'r Gymraeg mewn llysoedd pan wrthododd ddweud dim ond 'euog' ger bron y fainc ym Mhontardawe yn ateb i gyhuddiad o ryw drosedd fach foduro neu'i gilydd.

Ac fe âi ymhellach — daliai y dylid dysgu pynciau o bob math drwy gyfrwng y Gymraeg mewn Ysgol Uwchradd! Ac o bopeth, coleddai'r syniad hurt o anymarferol i'r mwyafrif helaeth ar ddechrau'r pumdegau, y dylid troi naill ai ysgol Ystalyfera neu ein hysgol ni ym Mhontardawe yn Ysgol Uwchradd Gymraeg. Eithafrwydd gwallgof yng ngolwg rhai o'i gyd-athrawon mae'n siŵr, a hwythau yn Gymry Cymraeg yr oedd hyd yn oed siarad yr iaith o fewn, ac o gylch, yr ysgol yn anathema iddynt. Ac roedd y 'Welsh Nash' penstiff hwn nid yn unig yn *mynnu* siarad

Cymraeg â nhw bob amser ond yn newid enwau'r plant, pob Jane a Joan, David a Margaret yn Siân a Siwan, Dafydd a Marged, ac ar ben hynny yn gwneud i bob plentyn ynganu 'i' yn lle 'ei', wel yn ôl fel y darllenen nhw yn oedfa'r bore ac fel y llefaren nhw mewn dramâu. 'Glywsoch chi erioed ffasiwn beth?

Druan ag Eic. Heb iddo fe'i hunan ddatgelu hynny, fe synhwyrem fod yna rai yn elyniaethus tuag ato oherwydd ei syniadau 'chwyldroadol' a'i ddaliadau 'eithafol'.

Dyna'r bore hwnnw y cyfarthodd athrawes yn fygythiol ar un o'r disgyblion, *'Come here! I hear you've joined the Welsh Nationalist Party!'*

'Yes, Miss P.'

'And whom do you want for Prime Minister?' poerodd ei geiriau'n wawdlyd, 'Eic Davies?'. Athrawes benigamp yn ei maes, ond Cymraes oedd yn gynddeiriog yn erbyn y Blaid hyd yn oed yn nyddiau'i gwendid.

A saga *Blodeuwedd* wedyn. Tro llwyfannu drama Gymraeg oedd hi'r flwyddyn honno; gorchestwaith aruthrol hardd yr athro celf a'i griw o niwl y bore yn codi o'r afon wrth droed Bryn Cyfergyr wedi hen orchuddio llen anferth a'r actorion i gyd â'r geiriau godidog wedi'u serio ar eu cof ac yn eu calon — peth pur anarferol i unrhyw gwmni drama dair wythnos cyn y noson agoriadol. Ond dyma orchymyn annisgwyl gan y prifathro nad oedd y ddrama i'w llwyfannu, am nad oedd, ym marn rhyw rai, yn weddus i blant — serch ei bod yn addas i'w hastudio'n fanwl ar gyfer arholiad y Dystysgrif Uwch! Ymateb cyntaf y Cymry Cymraeg oedd y dylid ymwrthod â'r cais i baratoi dwy ddrama fer yn ei lle. Ond 'chafodd neb gyfle i briodoli i Eic y geiriau hynny o'r darn adrodd hwnnw a anfarwolodd, 'Ac fe bwtws'. O naddo! Er iddo gael ei siomi i'r byw, llwyddodd i'n darbwyllo i gydweithio ag e — rhag i'r Noson Gymraeg gael ei disodli. Gwelai ymhellach na ni. Ie 'bachan bore' oedd Eic ac fe ddysgom ninnau nad oedd ildio i fod pan oedd y Gymraeg yn cael ei bygwth.

Do, enillodd deyrngarwch ei ddisgyblion yn reit i wala, a ninnau bellach yn y chweched dosbarth pan oedd cynnwys *Y*

Faner wythnosol cyn bwysiced â'r llyfrau gosod, chwedlau bois Gelliwarrog mor rhyfeddol â *Gweledigaethau'r Bardd Cwsg* a hen atgofion ein hathro yn llawer mwy difyr na rhai W.J. Gruffydd, barn Thomas Jones Aberystwyth (a'r Alltwen) ar bwynt ieithyddol yn ddeddf, Gwenallt yn dywysog penceirddiaid a D.J. yn frenin ein rhyddiaith, a Gwynfor a Waldo, Trefor ac Eileen Beasley yn arwyr.

Erbyn hynny roeddem wedi hen sylweddoli mor dwyllodrus oedd ei wedd allanol; er ei fod hytrach yn drwm o ran corffolaeth gwyddem ei fod yn ddawnsiwr hynod osgeiddig ar lawr y neuadd adeg y Nadolig, yn fatiwr go egnïol ar y llain griced ac yn chwaraewr tenis whimwth ei droed a dansierus ei ergydion ar Barc y Waun. Felly hefyd o flaen dosbarth, er mor ddigyffro ei gorff roedd ei feddwl yn graff, ei sylwadau yn dreiddgar a'i gof yn ddihysbydd. O gallai, fe allai roi camargraff i bobl. Ac yn wir fe wnaeth, — siwrnai o leiaf.

Nawr, roedd soffa yn digwydd bod mewn stafell arbennig a ddefnyddiem yn achlysurol, a thraethai ein Gamaliel gan bwyso'i fraich dde ar ei phen ucha' a chodi'i draed ar ei godre — osgo annerbyniol i ryw gyd-aelod o'r staff a barodd i'r prifathro holi un o'r dosbarth yn ddiweddarach,

'*Is it true that Mr Eic Davies teaches you from a horizontal position?*'

A'r ateb pwyllog a phendant a gafodd, yn ôl yr hanes, oedd,

'*No sir. But Mr Davies is mor effective in a semi-horizontal position than many in a vertical position sir!*'

Teg talu gwrogaeth i unigolion fel Eic Davies a safodd yn ddigyfaddawd yn wyneb dicter cyd-Gymry a gyflyrwyd mor drychinebus gan gyfundrefn addysg estron — cynnyrch alaethus eu cyfnod oedden nhw. Eto roedd yn gyfoethog o gyfeillion, rhai ymhlith ei gydweithwyr a myrdd drwy Gymru benbaladr. Doedd dim dal yn y byd pwy welem ni yn yr ysgol, yr actor Hugh Griffith yn oedfa'r bore, y bardd coronog Rhydwen Williams yn eisteddfod yr ysgol a'r disgrifwr Charles Williams yn troi i mewn i un o'n gwersi. Cadwodd Eic yntau ei synnwyr direidus a deialog ffraeth ei gomedïau. Byddai wrth fodd ei galon pan ruthrem ninnau i'w wers yn llawn drygioni wedi ffugio rhyw stori neu sefyllfa hurt o anhygoel. Rhywbeth na freuddwydiem ei wneud gyda neb arall (ond dyna fe, egwyl o anadlu'n rhydd ynghanol ein *'lessons history, lessons geography'* ac yn y blaen oedd y wers Gymraeg — peidiwch â chamddeall nawr, cofier taw wrth anadlu'n ddwfn bydd yr ymennydd yn elwa). Gwerthfawrogai wreiddioldeb bob amser, a fyddai e byth yn blino ar ailadrodd yr ateb a gawsai gan wág o grwt a luniodd ddull newydd o gymharu'r anosddair *gwlyb* sef *gwlyped, gwlypach, socan!*

Un tro, a ninnau heb gyflwyno tasg a osodwyd i ni, aeth dwy ohonom ati, o ddiffyg awen i greu gwaith gwreiddiol, i drosi bob o stori fer o gylchgrawn i fenywod. Rhaid bod chwaeth lenyddol Mr Davies yn rhagori ar un golygydd y cylchgrawn. 'Mae angen clo ar hwn,' oedd y feirniadaeth mewn traed brain gwaedlyd ar ddiwedd f'ymgais i. Dyma dynnu llun clo bach twt â phensil gan *lwyr* fwriadu ei ddileu cyn cyflwyno'r dasg ddilynol. Anghofio'n glwt a chael cyfarwyddyd bythgofiadwy wrth lun y clo, 'Na nid y math hwn. Cer i siop Kate Roberts neu D.J. Williams.'

Câi yntau hwyl bachgennaidd wrth chwarae tric ar gymydog neu un o'r teulu, megis pan ddychwelodd o'r Chwaraeon Olympaidd yn Rhufain a darbwyllo Rachel, gwraig Dai Collins, i wnio bathodyn y chwaraeon ar ben ôl dillad gwaith ei gŵr, a'r pwr dab yn ffaelu deall pam roedd coliers pwll Abernant yn fwy siriol nag arfer y tyrn hwnnw!

'Ddioddefws neb yn fwy, siŵr, oherwydd ei anian ddireidus, na Beti druan, ei gymar hardd. Pan na ddôi i ben â rhoi neges fach iddi yn gyfrwys dros y radio i'w hysbysu y buasai'n mynd yn syth tua thre ar ôl y rhaglen, neu'n oedi, neu'n hwyr oherwydd niwl neu eira, yna fe gâi hyd i ffôn a sibrwd yn gellweirus,

'Hylo! Otych chi ar eich pen eich hunan?'

'Odw, odw,' sisialai hithau dan chwerthin.

'Fe fydda' i gyta chi 'mhen awr 'te!' a dyna Beti'n gwybod

pryd i roi'r bwyd ar y tân. A rhywbeth yn debyg ddigwyddws pan ganws y ffôn un noson.

'Hylo!' sibrwd bach gwichlyd.

'Hylo!' sisialodd Beti yn ôl.

'Oty Eic gartre?'

'Nagyw, pryd byddwch chi'n cyrraedd?' cellweiriodd hithau yn dawel.

Distawrwydd.

'B . . . eti?' gwich fach betrusgar. 'Oty Eic yn 'tŷ?' getyn yn uwch y tro hwn.

Fe fuom ni'n chwerthin am amser — rwy'n dal i wneud o ran hynny, gan taw llais bach main Abiah Roderick oedd ar ben draw'r lein y noson honno!

Straeon afieithus felly a groesawai bawb ar aelwyd gynnes Pen-twyn. Ond noson fythgofiadwy oedd honno pan aeth Beti, yn enw Plaid Cymru, i mewn i'r cyngor ar frig y rhestr ymgeiswyr — hen lewion y Blaid Lafur bron i gyd — er bod y Pleidwyr mwyaf selog yn gorfod cydnabod taw cymeriad annwyl a didwyll yr ymgeisydd a gipiodd y safle arobryn a dweud y gwir. Gorfoleddai Eic yn llwyddiant ei briod, fel y llawenychodd ym muddugoliaeth Gwynfor yntau, ac ymfalchïai iddo gael plannu clamp o Ddraig Goch benuchel i gyhwfan drwy do ei hen Wagen y Werin fach goch i dywys yr Aelod Seneddol etholedig o gylch ei etholaeth. Ond cyn pen dwy flynedd fe'i llethwyd gan dristwch o weld yr hen elyn creulon yn difa ei anwylyd, yr un fu'n ei warchod ac yn ei gynnal yntau yn siriol a chadarn yn ei stormydd o salwch.

Mae un digwyddiad neilltuol yn dweud pŵer am ein hagosrwydd ni, ei gyn-ddisgyblion at ein hen athro, ac am ein meddwl ohono. Dros ugain mlynedd ar ôl i ni ymadael â'r ysgol, o glywed fod Eic yn isel ei ysbryd, ac yntau bellach yn ddigymar, dyma ryw wyth ohonom yn trefnu ar fyrder i ddau alw amdano'n ddidaro gan esgus ei ddenu i fynd am dro yn y car — ar ôl siarso Mrs Edwards, mam Gareth, i ofalu'i fod yn taclu coler a thei, yna ei gludo i westy mwyaf moethus Llandeilo lle'r oedd y gweddill ohonom yn aros amdano. Bu'n sôn yn hir am y noson ddiddan a gafwyd yn cwmnïa'n llawen am bedair awr dros bryd o fwyd i'w gofio. A mawr yr edliw gan eraill a fuasai wedi dwlu bod yn rhan o'r hwyl tasen ni ddim ond wedi mynd ati i drefnu'r peth ar raddfa ehangach.

Ac yn wir roedd angladd Mr Davies yn gyfarfod aduniad mawr i lawer ohonom o hen Ysgol Ramadeg Pontardawe. Go brin y gwelwyd cynifer o gyn-ddisgyblion mewn angladd athro dros ei bedwar ugain oed, a'r cludwyr yn ddynion ifainc a gludai yntau, pan oedden nhw'n gryts, i gêmau rygbi lleol a chenedlaethol, rhai a gawsai wersi iaith a llenyddiaeth, yn ogystal â hanes Cymru ar y ffordd i'r gêm, a'r fraint o gael eu meithrin — yn ddiarwybod iddynt — i drafod y gêm mewn Cymraeg glân gloyw ar y ffordd tua thre.

I nabod y dyn, fe argymhellwn i unrhyw un ddarllen ei ysgrifau yn *Y Faner* ac yntau yn ohebydd rygbi. Ynddynt fe blethir hanes a diwylliant Cymru drwy symudiadau a hanes bechgyn y bêl hirgron. I Eic, roedd y ffaith bod Ceri Jones o'r Alltwen wedi'i godi ar yr un hewl â Gwenallt lawn mor bwysig â'i fod wedi ennill cap dros Gymru!

I gael cip ar faint ei gyfraniad ni raid ond darllen stori Islwyn Williams am 'Y Dyn Bach o'r Wlad' mewn gêm rygbi, stori sy'n frith o dermau Saesneg, nodweddiadol o'r cyfnod, a'i chymharu ag unrhyw sylwebaeth Gymraeg ar y radio neu ar y teledu heddiw — yn enwedig gan ei fab ei hunan.

'Eraill a lafuriasant' a bu gymaint yn haws i do ar ôl to ohonom i ddal ati ar ôl i Eic a'i debyg fod yn trasio'r drain ac yn agor y ffyrdd.

Rita Williams

Derbyn y wisg wen yn Eisteddfod Abertawe (Eic yw'r un cyntaf yn y rhes nesa at y camera).

Eic, Beti, Bethan a Huw ym Mro Gŵyr 1955.

Y Foneddiges Beti Eic Davies, Gwauncaegurwen

Un dreng ydyw'r lleidr angau,
Am loywder, ceinder mae'n cau
Ei grafanc o law wancus
O flaen eiddigedd ei flys.
Daw i ddwyn o'n byd ei dda,
A dwyn enaid uniona'.

I 'Ben-twyn' i ddwyn un dda
Daeth o ar ei daith hya'!
Dwyn y fam hael o'r aelwyd,
Dwyn lliw haul a'n gado'n llwyd;
Dwyn y pwyll a'r didwylledd,
Gras ei gair o groeso'i gwedd.
Dwyn gobaith pen-taith weithion
O'r byd; mor dyner ei bôn.

Dwyn o'r Cyngor ragorferch,
Dwyn un bur, ddoeth dan bridd erch;
Dwyn tŵr llawen ei chenedl,
Dwyn un lân ei chân a'i chwedl.
Dwyn hyder ein pryderon,
Hyder lle'r oedd breuder bron.
Dwyn dewrder dan y gweryd,
Dwyn i'r bedd dynera'i byd.
Dwyn o'r byd ffrom golomen;
O wŷn ei gas, dwyn ei gwên.
Dwyn gofal ein gofalon
A dwyn hwyl ydoedd dwyn hon.

Er a ddwedir, gwir a gau,
Un dreng ydyw'r lleidr angau.

Gerallt Jones

48

Beti Eic Davies.

Y Gwrhyd — darn o dir pedair milltir ar ei hyd lle bu Arthur a'i farchogion yn hela'r Twrch Trwyth a lle'r oedd gwreiddiau Eic. Ecel yw enw'r afon sy'n tarddu'n y blaenau hyn.

Hen gapel y Gwrhyd — canolfan grefyddol a diwylliannol.

Y Twyn ar y Gwrhyd lle'r arferai Pant-y-gamfa, cartref mam Eic fod.

Mam Eic (yn y canol) a'i mab ar y dde iddi.

I, the Lord Chamberlain of The King's Household for the time being, do by virtue of my Office and in pursuance of powers given to me by the Act of Parliament for regulating Theatres, 6 & 7 Victoria, Cap 68, Section 12, Allow the Performance of a new Stage Play, of which a copy has been submitted to me by you, being a play in 1 Acts entitled

"Fy Mrodyr Lleiaf"

with the exception of all Words and Passages which are specified in the endorsement of this Licence and without any further variations whatsoever

Given under my hand this 15ᵗʰ day of November 1949.

Clarendon

Lord Chamberlain.

To The Manager of the Public Hall Brynamman

T 30

Trwydded i lwyfannu un o ddramâu Eic drwy law swyddfa'r Arglwydd Siambrlaen.

DOCTOR IŴ-HŴ

gan

EIC DAVIES

FFARS I'R PLANT HYNAF AC I'R IENCTID

Bigitan didrugaredd Mrs. Nansi Jenkins am "rwpeth newydd w i'r plant yn yr Aelwyd 'co", ynghŷd â'r ffaith fod ganddi bâr o efeilliaid wrth law gartre, a symbylodd hyn o ffars ; ac iddyn nhw 'u tri, a phawb o'r ddau gwmni a aeth â hi i lwyfan y tro cynta yn Eisteddfod Genedlaethol yr Urdd ym Mrynaman, y dymunaf ei chyflwyno.

GWASG GOMER
1966

Aelwyd Brynaman dan 15 oed)

Dic	ALUN TUDUR JENKINS
Ben	BRYAN STEPHENS
Wili Tom	COLIN EVANS
Caros	PAT PRICE
Emyr	EMYR JENKINS
Eurig	EURIG JENKINS

Cyfarwyddwr : Mrs. Nansi Jenkins

Uwchadran Ysgol Ramadeg Pontardawe (14-25)

Dic	ADRIAN DAVIES
Ben	GEOFFREY DAVIES
Wili Tom	TEIFION WILLIAMS
Caros	JENNIFER LEWIS
Emyr	ROBERT MUNRO
Eurig	ROGER MUNRO

Cyfarwyddwr : Huw Llywelyn Davies

Clawr Doctor Iŵ-Hŵ *a chyflwyniad Eic y tu mewn iddi.*

Rhai o ddramâu Eic.

Parti drama Ysgol Pontardawe yn fuddugol yn Eisteddfod yr Urdd dan hyfforddiant Eic.

158, Westbourne Rd.
Penarth, Morgannwg.
17·VII·1967

Annwyl Mr. Davies,

Amgaeaf deipsgript o'r
ddrama i chwi a gellwch ei
gadw.

Ond gyda llaw â'r gwers, wn i ddim.
Does gen i ddim i'w ddweud
am y ddrama ond gobeithio na
bydd hi ddim yn fethiant ar y
llwyfan. Nid wyf yn meddwl
fod y cynhyrchydd yn
frwdfrydig o gwbl amdani,
ond af i fyny i Fangor ddydd
Llun nesaf i weld yr
ymarferion. Byddaf yn y
Gogledd am wythnos ac yn ôl
yma 30 Gorffennaf. Os dymunwch
chwi gwers wedyn efallai y
gellwch fy ffonio, Penarth 708226,
ond nid wyf yn awyddus i
ddweud dim am y ddrama.
Dywedais yr hyn a oedd gennyf
i'w ddweud yn y ddrama.

Yn gywir,
Saunders Lewis
Ni byddaf yn y Bala.

Copi o lythyr oddi wrth Saunders Lewis yn cyfeirio at ei ddrama Cymru
Fydd.

Eic (ym mlaen y llun) gyda chriw'r Ysgol Ddrama yn Neuadd Beck, Abertawe, Awst 1944.

Eic Davies (gyda'r gwn) yn actio yng nghwmni drama D. Haydn Davies gydag Emrys Cleaver, Moses Jones a Prysor Williams. Y ddrama oedd Potsier, Leyshon Williams.

Stan Rees, prifathro Ysgol Ramadeg Pontardawe gydag Eic a rhai o actorion ifanc yr ysgol. Y ferch i'r chwith o Eic yw Siân Phillips.

Cangen y Blaid Genedlaethol yn Aberystwyth yn 1930-31 pan oedd Hywel D. Roberts yn llywydd arni. Eic Davies yw'r un heb dei!

Dwy helfa dda yn Glendore Iwerddon pan oedd Eic yno gyda'i gyfaill, John Idris Evans (Adran Ysgolion y BBC bryd hynny).

Ostin Saith enwog Eic rhwng Soar a Thregaron.

Gyda Guto ei ŵyr cyntaf, yng nghwmni'r bêl hirgron, wrth gwrs, a chap cyntaf Gareth Edwards am ei ben.

Gyda'r Athro Thomas Jones (ar y chwith) a chyfeillion ar faes y Genedlaethol.

Gyda'i ddosbarth cyntaf yn Ysgol Kitchener Road, Caerdydd. Hon oedd ei swydd gyntaf.

Eic, yr eithaf ar y dde, pan oedd yn athro'r Gymraeg yn ysgol Mynwent y Crynwyr, Merthyr.

Criw cynnar Adran Chwaraeon y BBC gydag Eic Davies yr eithaf ar y dde yn y rhes ganol.

Rhagor o gwmnïau drama Eic ym Mhontardawe (uchod) a Chaerdydd (isod).

Cwmni Drama y Gwter Fawr, enillwyr yn yr Eisteddfod Genedlaethol droeon — Elfyn Talfan Davies, Delme Bryn Jones a Huw Eic yn y blaen.

Rhagor o sbort yn Iwerddon.

O Ddrama i Ddrama

Rwy'n cofio'r tro cyntaf i mi ynganu yr enw Eic Davies. Ro'n i tua wyth mlwydd oed ar y pryd, ac wrth y bwrdd brecwast gatre, yn clywed Mam a 'Nhad yn canmol perfformiad o'r ddrama *Llygad y Geiniog* gan Gwmni Drama'r Gwter Fawr yn Neuadd Gyhoeddus Brynaman.

Wrthi'n canmol y cynhyrchydd Eic Davies oedd fy rhieni.

'Pwy yw e 'te?' medde fi yn ddiniwed.

'Wel,' medde 'Nhad, 'mae'n dod o'r Waun'. (Ro'dd gweud Gwauncaegurwen yn ormod o lond ceg i ni ŵyr Brynaman.) 'Mae'n dysgu sha Pontardawe, mae e wedi sgrifennu dramâu ac wedi eu cynhyrchu nhw, a chred ti fi pan fo ti'n siarad am ddrama, mae e'n gwbod 'i stwff.'

Rhyw ddwy flynedd yn ddiweddarach y dois i ar draws Eic eto. Y tro hwn ro'n i yn aelod o Gwmni Drama Aelwyd Amanw, Brynaman, ac wedi llwyddo i fynd trwyddo i'r rownd derfynol o'r gystadleuaeth ddrama un act o dan bymtheg yn Eisteddfod yr Urdd Abertridwr.

Roedd tair drama yn y rownd derfynol, ni, wrth gwrs a dwy arall o Ysgol Ramadeg Pontardawe, a'r ddwy yn cael eu cynhyrchu gan Eic Davies.

Alla' i gofio y noson fel ddoe, gyda'n cynhyrchydd ni, y diweddar Elfyn Talfan Davies o Frynaman, a chyfaill mawr i Eic yn rhoi pregeth i'r cast cyn mynd ar y llwyfan.

'Nawr gwrandewch,' medde Elfyn Talfan, 'fi ishe i chi chwarae y ddrama 'ma heno [sef *Mŵg Melyn* gan D.T. Rosser] yn gwmws fel ych chi wedi cael eich dysgu. Ac os yw hi'n mynd yn dda, dim chwarae i'r galeri [hynny yw, ffordd Elfyn Talfan o ddweud dim gor-actio]. A chofiwch bod gyda Eic ddwy ddrama 'ma heno, ac felly ma' gyda fe ddwywaith y cyfle o ennill, ac mi fyddan nhw'n siŵr o fod ar y marc, gan mai Eic sy'n cynhyrchu.'

Wel, ail a thrydydd ddaeth Ysgol Ramadeg Pontardawe y noson honno, a'r cyntaf i longyfarch Elfyn Talfan a ni, y cast, oedd Eic ei hun.

Gyda gwên fawr ar ei wyneb meddai, 'Hwn wnaeth y damej Elfyn,' medde fe wrth Elfyn Talfan, a rhoi ei law ar f'ysgwydde. 'Ma' digon o dalent gyda hwn i fynd ymhell ar lwyfan. A chofia un peth,' meddai, 'mae wastad yn bwysig pan bo ti'n actio, i ti fod yn naturiol.'

A dyna'r tro cyntaf i mi gwrdd a siarad gyda Eic Davies.

Yn y blynyddoedd canlynol cafodd parti drama dan bymtheg Aelwyd Amanw, Brynaman gyfle i berfformio nifer o ddramâu Eic Davies — *Cwac-Cwac, Fforshêm, Randibŵ, Y Dwymyn, Fy Mrodyr Lleiaf* ac yn y blaen, ac ennill llawer i gystadleuaeth a diddori cynulleidfaoedd ledled Cymru, gan roi cyfle i lawer un ohonom fwrw ein prentisiaeth a blasu actio ar lwyfan.

Bedair blynedd wedi Abertridwr fe drefnwyd noson deyrnged i Eic yn Nhreforys, i ddiolch iddo am ei gyfraniad i fyd dramâu plant. Y noson honno, penderfynwyd perfformio tair o'i ddramâu, ac fe wahoddwyd Parti Drama Aelwyd Amanw i berfformio *Randibŵ, Cwac-Cwac,* a *Fforshêm.* Roedd rhai aelodau o'r cast mewn mwy nag un o'r dramâu ac ro'n i'n digwydd bod yn y brif rhan yn y dair. Cafwyd noson i'w chofio gyda Eic a'i wraig yn eistedd yng nghrombil y gynulleidfa.

Yr hyn sy'n dod i feddwl rhywun am y noson yw anffawd un o'r cymeriadau pan ddaeth ar y llwyfan wedi gwisgo ffedog a dechrau ynganu geiriau o'r ddrama *Randibŵ,* tra oedd gweddill y cast wrthi'n perfformio *Cwac-Cwac!*

Fe lwyddon ni i oresgyn y trafferthion ddigon da i Eic fedru sôn ar y diwedd dros baned, 'Mae'n ddicon rhwydd i rywbeth fel 'na ddigwydd ar noson fel heno, ond diawch deso chi mas ohoni yn bert bois bach.'

Ychydig flynyddoedd yn ddiweddarach mi dderbyniais i becyn drwy'r post, ac ynddo roedd copïau o ddramâu Eic, a nodyn yn dweud:

Glan — dyma amgáu iti gopïau o'm dramâu. Fi newydd glirio cwpwrdd mas yn y tŷ 'co, a penderfynu eu hala iti i'w cadw. Gyda diolch iti am ein diddanu ar hyd y blynyddoedd.

Anrheg amhrisiadwy oddi wrth ŵr a fydd wastad yn uchel ei barch yn fy meddwl i. Oni bai am Elfyn Talfan ac Eic, fydden i ddim wedi rhoi troed ar lwyfan nac actio yn yr un ddrama erioed.

Mawr fydd fy niolch i Eic am roi i ni y geiriau i'w llefaru, gan obeithio y medraf wastad fod yn naturiol.

Glan Davies

Eic

Ef oedd ddihareb, a'i gyfathrebu
Mewn dyddiau anodd mynnai'n diddanu,
Ef yn ymosod ac ef yn maesu,
Bu'n chwarae'r gêm heb ochor gamu
Dros iaith fyw, dros iaith a fu — oedd astalch
A heddiw, wŷr balch, cawn gloddio'r bylchu.

Vernon Jones, Rhiw Fawr

Dawn Dweud

Fe gefais i'r fraint o adnabod Eic pan oeddem yn cystadlu fel adroddwyr, a hynny pan oeddwn i yn rhyw ddeng mlwydd oed ac Eic wedi dechrau cystadlu dan un ar bymtheg.

Roedd fy nhad yn hoff iawn o adrodd, ac yn ei dyb ef Eic a Cyril Bowen (y diweddar Barch. Cyril Bowen) oedd yr adroddwyr peryglus o dan un ar bymtheg. Felly, fel adroddwr yw'r cof cyntaf sydd gen i am Eic. Ond cyn sôn am Eic, fe garwn ddweud gair am ei fam, oherwydd yr oedd hi'n ddynes arbennig iawn. Os mai cyffredin oedd ei hamgylchiadau a'i dull o fyw, roedd hi'n ddynes anghyffredin iawn ac yn esiampl i'r fam fodern am amryw o resymau.

Roedd mam Eic yn ddynes gref o gorff ac o feddwl. Fe aberthodd ei hun yn gyfangwbl er mwyn rhoi cyfleusterau addysg i'w phlant. Dyma i chi ddynes gwbl nodweddiadol o'r fam werinol ddiwylliedig a geid ar ddiwedd y ganrif ddiwethaf a dechrau'r ganrif bresennol.

Magwyd Eic a Sali ei chwaer (bu Sali farw yn ifanc iawn) mewn llecyn anghysbell rhwng Rhiw Fawr a Chwmllynfell. Ond, er mor drafferthus oedd teithio allan o'r fangre honno yr oedd Mrs Davies a'i phlant yn llwyddo i gyrraedd bron pob eisteddfod ar y Sadwrn a phawb yn synnu at ei menter, a'i hynni hi. Gallaf ei gweld o flaen fy llygaid yn awr. Menyw gweddol dal, croen o wawr dywyll, wyneb rhychiog a gwallt tywyll, a bob amser wedi gwisgo mewn dillad du.

Fel dywedais i, roedd Eic yn adroddwr eithriadol o dda, ac yn llwyddiannus iawn ar lwyfan eisteddfodau. Ni wn pwy oedd yn ei ddysgu, os nad ei fam. Gallaf ddweud hyn, roedd Mrs Davies yn gwybod, ac yn gallu adrodd, hoff ddarn pob un o'r cystadleuwyr peryglus. Yr adeg hynny hoff ddarnau yr adroddwyr oedd 'Olion Hanes', 'Rhagorfraint', 'Y Gweithiwr', a darnau cyffelyb.

Roedd hi wrth ei bodd yn dilyn yr eisteddfodau, ond fel pob mam, yn anfodlon pan fyddai'r plant yn colli. Yn sicr, yr oedd ambell i feirniad bach diniwed yn crynu yn ei sgidie pan fyddai Mrs Davies yn holi am y feirniadaeth.

Rwy'n cofio un eisteddfod yn arbennig — rwy'n siŵr mai yn Ffynnon Taf, gerllaw Caerdydd yr oedd yr eisteddfod honno — roedd Eic wedi colli a rhyw groten hollol ddieithr i bawb ohonom wedi cael y wobr gyntaf. Yr oedd y beirniad yn fardd o fri, ac yn flaenllaw yn yr Orsedd. Ond doedd hynny yn golygu dim i Mrs Davies — y peth mawr oedd fod Eic wedi cael cam!

Fe arhosodd Mrs Davies i'r beirniad ddod lawr o'r llwyfan, a chyn pen deng munud yr oedd hi wedi tynnu y beirniad a'i feirniadaeth yn ddarnau mân. Er mor bwysig oedd y bardd hwnnw, yr oedd yn dda ganddo gael dianc o afael Mrs Davies!

Gallaf ddweud hyn yn bendant, (ac rwyf wedi dweud hyn wrth Huw, mab Eic, droeon) mai aberth a diwylliant ei fam a wnaeth adroddwr, athro, actor a dramodydd o Eic. Yr oedd y doniau yna i gyd yn ei fam, ond ni chafodd hi y cyfle i ddatblygu ei doniau, ond gofalodd roi pob cyfle i'w mab.

Y mae yna bobol ifainc ym Mhontardawe sy'n dal i fod â pharch mawr i'w hen athro, ac sydd wrth eu bodd yn siarad am ddawn Eic. Bu'n golled fawr i Ysgol Ramadeg Pontardawe pan ymddeolodd o'i swydd.

Nid oes angen sôn amdano fel dramodydd. Digon yw dweud fod llu o ieuenctid Cymru wedi cael hwyl fawr wrth berfformio ei ddramâu.

Roeddwn i'n edmygu Eic am ei ddawn fel adroddwr, actor, athro a dramodydd. Braint mawr oedd cael cydweithio ag ef a mwynhau ei gwmni diddorol a difyrrus.

Harriet Lewis

Mewn Cap Coch, Gwyrdd a Gwyn

Pan o'n i'n rhyw bum mlwydd oed, symudodd fy nheulu i dŷ arall yn y Waun — tŷ ar Sgwâr Coelbren. Jest lan o'n tŷ ni, rhyw ddeugain llath yn groes i'r hewl yn Heol Coelbren Uchaf, roedd crwt bach yr un oedran â fi yn byw ac fe ddaethon ni'n ffrindiau da. Y crwtyn hwnnw oedd Huw, ac roedd Eic ei dad yn athro yn yr ysgol ramadeg ac yn gwneud jobyn yn awr ac yn y man i'r BBC, wrth gwrs.

Roedd car arbennig gan y teulu hwnnw — Rover oedd e — ac roedd hwnnw'n gar arbennig iawn yn y Waun y dyddie hynny. Ac, wrth gwrs, roedd gen i fantais fawr o fod yn ffrindie â Huw — roedd y ddau ohonom ni'n cael mynd gydag Eic i Lanelli, i Abertawe, i Gaerdydd, i Gastell-nedd — dros y lle i gyd, y fe'n gweithio ar y radio a ninne'r cryts yn gwylio'r rygbi. Drwyddo fe y dois i i fod â diddordeb mawr yn y gêm.

Anghofia' i fyth y gêm ryngwladol gyntaf yr aeth y ddau ohonom ni iddi. Cymru yn erbyn Lloegr ar Barc yr Arfau oedd hi, nôl yn 1959. Gêm gyntaf Dewi Bebb gyda llaw. Sgoriodd Dewi gais yn y gornel yn ystod y gêm honno ac fe enillon ni. Yn rhyfedd iawn, pan ddois i flynyddoedd yn ddiweddarach i chwarae ar Barc yr Arfau fy hunan am y tro cyntaf, roedd Dewi yn chwarae ei gêm olaf tros Gymru bryd hynny ac yn erbyn Lloegr yr oeddem ni y diwrnod hwnnw hefyd. Yn ystod y gêm honno, mi daflais i bàs i Dewi ac fe sgoriodd e eto yn yr un gornel ag y gwnaeth e pan weles i'r gêm gyntaf honno.

Yr hyn rwy'n ei gofio am y trip cyntaf hwnnw i weld gêm ryngwladol yng Nghaerdydd oedd bod Huw a finne yn gwisgo bob o gap coch, gwyrdd a gwyn gyda chenhinen yr un ynddyn nhw. Roedd hi'n bwrw glaw yn drwm drwy'r dydd ac erbyn diwedd y prynhawn, roedd y capie wedi rhedeg dros ein hwynebe ni i gyd. Roedden ni wedi trefnu i gwrdd ag Eic yn lle'r BBC ar ôl y gêm, ac fe allech chi ddychmygu'r olygfa yn y fan honno. Y porthor yn ateb y drws a gweld dou grwtyn ifanc, yn wlyb at eu crwyn a'r llanast rhyfeddaf dros eu gwynebe nhw. Huw oedd y llefarydd:

'*We've come here to meet my dad,*' medde fe mewn llais diniwed.

'*That's a likely story,*' medde hwnnw.

'*No, I really have,*' medde'r darpar ddarlledwr.

Diflannodd dyn y siwt ac mae'n debyg iddo fynd at Eic a dweud wrtho:

'*There are two urchins outside. One of them professes to be your son.*'

Roedd honno'n stori fawr gan Eic am flynydde ar ôl hynny.

Rwy'n gwybod fod Eic wedi cael pleser mawr o weld y crwt y buos e yn ei gario o un gêm rygbi i'r llall drwy gyfnod ei ieuenctid yn codi, ymhen amser, i fod yn aelod o'r tîm cenedlaethol. Rwy'n gwybod hefyd beth yw maint fy nyled inne iddo ynte.

Ond mae'r ddyled yn fwy nag ar y byd rygbi yn unig. Pan o'n i tua unarddeg oed, fe fuos i a Maureen — y wraig, yn ddiweddarach — yn cyd-actio yn un o ddramâu Eic yn yr ysgol. *Wil Cwac Cwac* oedd enw honno a dyna'r tro cyntaf i Maureen a minne gwrdd â'n gilydd!

Fe fydda' i'n ddiolchgar iddo fe am byth hefyd am roi help i mi pan o'n i yn ysgol breifat Millfield — yr ysgol chwaraeon orau, ddrutaf ym Mhrydain. Ond roedd 'na un peth yn ishe yno. Doedd 'dan nhw ddim athro Cymraeg! Roeddwn inne'n awyddus i sefyll Lefel 'O' Cymraeg ac fe gytunwyd 'mod i'n cael astudio'r pwnc fel cwrs post gydag Eic yn diwtor imi, yn hyfforddi ac yn marcio fy ngwaith. Ac fe bases i!

Diolch, Eic.

Gareth Edwards

Eic

I dir y mudion aeth y dramodwr.
Aeth colyn angau â'r hen chwedleuwr
A'r bwndel hawddgar o genedlgarwr.
Hybu ei iaith a throi'n bennaf bathwr
Fu ei nod. Colofn o ŵr — a fu driw,
Nid ydyw heddiw. Nos da, fonheddwr.

T. Gwynn Jones

Mater o Raid

"Wi'n cofio cyfnod dechre darlledu'r 'Maes Chwarae' ar y radio — ro'dd rhai cofia di yn dweud nad oedd shwt beth yn bosib yn y Gwmrâg a rhaid cofio ei bod hi'n gyfnod digon caled. Do'dd neb wedi arfer siarad am y campe yn yr iaith ac roedd hi'n anodd cael Cymry Cwmrâg oedd yn deall rhywbeth am y maes ac yn rhugl yr un pryd.

'Ro'n i'n athro ymarfer corff yn yr un ysgol ag Eic. Fe yn athro Cwmrâg, finne'n athro ymarfer corff, a rhwng y ddou ohonon ni, ro'n ni'n gallu cau y bylche 'twel. Ond o'dd pethe'n mynd yn ffradach withe, gan fod cyn lleied ohonon ni yn gorfod gwneud cymaint o wahanol bethe.

'Ro'dd athlete yn bwysig yng Nghymru bryd hynny, a 'wi'n cofio mynd lawr i Gaerdydd yn meddwl 'mod i'n rhoi sylwebaeth ar y gamp taflu pwysau. 'Na fe 'te, sylwebaeth gan bwyll bach a digon o amser i gnoi cil a hel meddylie rhwng pob taflwr, ro'n i'n meddwl. Ond fel y trodd hi mâs, y fi o'dd yn sylwebu ar y ras ganllath y diwrnod hwnnw ac fel y gelli di ddychmygu, ro'dd hynny yn golygu gwaith tipyn mwy chwim i'r meddwl ac i'r tafod!

'Wi'n cofio tro arall pan wnaeth y rheolwr gam â thîm rygbi Cymru mas yn Nulyn nôl yn nechre'r pumdege. Y nos Fawrth ar ôl 'ny, ro'dd ishe rhywun i drafod y penderfyniad amheus hyn ar 'Y Maes Chwarae'. O'dd ishe rhywun o'dd yn deall y rheole ond o'dd ishe iddo fe fod yn Gymro glân hefyd.

' "Beth am Tom Howells, Pontardawe?" meddwn i.

' "Bachan, 'na fe!" O'dd Eic wrth ei fodd achos o'dd Tom Howells yn rheolwr ei hunan.

'Nawr, roedden ni i gyd yn mynd i Gaerdydd yn yr un car ac o'dd cyfle i hyfforddi tipyn ar y siaradwr yn ystod y daith. ' "Cofiwch weud *rheolwr* nage *reffari*, Tom," a "Cofiwch mai Iwerddon ych chi'n weud, nage sôn am yr *Irish*. Fel'na o'dd hi.

'Ond ar y rhaglen — rhaglen fyw o'dd hi cofia di — soniodd

Tom yr un gair am yr *Irish*. Soniodd e run gair am Iwerddon chwaith — yr *Iddewon* gas hi gyda fe ar hyd yr eitem!

Dyna Eic — ro'dd e'n bathu terme pan o'dd pawb arall yn meddwl nad o'dd hi'n bosib bathu terme o'r fath ac ro'dd e'n mynnu eu defnyddio nhw a gwneud y cyfan drwy'r Gwmrâg. Ac er mor galed o'dd gofynion y dyddie cynnar rheiny, roedd hi'n rhaid wrthyn nhw cyn ein bod ni'n cyrraedd ble ŷn ni heddiw. Ac o'dd hi'n rhaid wrth rhywun fel Eic wrth y llyw hefyd.'

Bill Samuel

Eic, y Lwc-owt

'Weda' i wrthot ti nawr, pryd 'ny ro'dd criw ohonon ni yn y
gwaith glo yn Abernant yn talu miwn i'r clwb am flwyddyn er
mwyn cael mynd lan ar y trip i Gaeredin 'twel. Oe'n ni'n mynd
lan 'sha dydd Mercher ac yn aros nes bo' hi'n ddydd Sul. Ro'n
i'n bartners mowr 'da Eic ond wrth gwrs ro'dd e'n yr ysgol
ramadeg ym Mhontardawe a fedre fe ddim dod lan tan y *Killer* ar
nos Wener. Ro'dd e'n dod lan 'da'i gyfaill mowr, Alun Williams
o'r BBC.

'Nawr, ro'dd canwyr da yn ein cwmpni ni ac mi ro'dd Eic
wedi bod wrthi'n curo'n cefne ni 'da Alun bob cam o Gaerdydd i
Gaeredin. Fe dda'th Eic ag Alun draw 'dag e i'n hotel ni yn hwyr
ar y nos Wener ac ro'dd Alun ishe clywed ni'n canu nawr, ar ôl
clywed shwt ganmol. Ond, wrth gwrs, roedden ni i gyd yn
lled-fflwsh erbyn 'ny, wedi bod yn hifed a chanu oddi ar pump
yn y bore a 'dodd dim lleishe ar ôl 'dan ni. Pan aeth Alun at y
piano, 'ddaeth dim ond gwich mas o'n cege ni a dyma fe'n troi at
yr un o'dd wedi bod yn canu'n clodydd y bois mor hael a gweud:

' "Diawl, Eic achan, ble mae'r canwyr 'ma?"

'Ond un felly o'dd e — bob amser yn driw i'r criw ac ishe i fois
y BBC 'yn cwrddyd ni, yn lle ein bod ni yn mynd i'w cwrddyd
nhw.

'Ond yr atgofion mwya' sy' gen i amdano fe yw potsian 'dan
gilydd. Fe o'dd y lwc-owt, 'twel. 'Wi'n cofio bod 'sha
Llanddeusant 'na rhyw ddiwrnod, y fi a 'mhartner gyda rhwyd
yn yr afon ac Eic yn lwc-owt. O'dd hi'n bnawn ffein a phethe'n
mynd yn dda.

' "Hei, bois! Mae rhywun yn dod!" O'dd Eic yn gwneud ei
waith. Ro'dd pen i'w weld yn dod uwch y llwyni. Dropon ni'r
rhwyd ar unwaith, ond nage ciper o'dd e ond ffermwr.

' "Helô, bois be' chi'n 'neud 'te?"

'O'dd e i'w weld yn ddigon clên ac Eic o'dd 'yn spôcsman ni.
Fe o'dd yr un cloi.

' "Mae brawd Dai fan hyn yn wael yn yr ysbyty ac mae ishe cwpwl o bysgod yn gloi arno fe."

' "O, ie." Neb yn gweud dim. Yna, mewn sbel, "O's sigarét 'da chi?"

'O, felly o'dd hi i fod — bargen fach 'twel. Ond do'dd neb yn smoco sigaréts. Eto, ro'dd pîb 'da Eic.

' "Gei di mincyd pîb 'da fi, os 'ti mo'yn."

'Dyna hi 'te. Ond o'dd rhagor o holi i fod.

' "O ble 'chi'n dod 'te bois?"

' "O Dŷ-croes", fel shot, medde Eic o'r Waun.

' "Bachan, mae brawd 'da fi yn ficer yn Nhŷ-croes."

' "O, smo ni'n mynd i'r eglw's," medde Eic eto. "I'r clwbe ŷn ni'n mynd!"

'O'dd, roedd e'n un da fel lwc-owt!'

Dai Collins

Cwmrâg Ti a Thithe

'Y *mewnwr* o'dd e'n fy ngalw i. Dyna o'dd ei lysenw e arno i. A chan taw fe ddefnyddiodd y gair hwnnw am y tro cyntaf yn y Gwmrâg, wel, fe oedd berchen y gair yntyfe? Felly rown i'n falch iawn ei fod e'n dewis fy ngalw i wrth yr enw hwnnw.

'O'dd e'n ddyn annwyl iawn. Rial cês, cofia di. Pîb wastad yn ei ben e ac yn cael mwgyn lle nad oedd neb arall fod i gael un. O'dd e'n hŷn na fi, wrth gwrs — digon hen i fod yn wncwl i mi ond nid felly o'n i'n meddwl amdano fe. Ro'dd e'n agos ata' i, lawer mwy fel brawd hŷn i mi.

'Fuodd e'n gefen mowr i mi pan o'n i'n whare'r gêm. Ro'n i'n gapten ar Gymru ym mhob gêm ro'n i'n whare dros fy ngwlad ac ro'dd hynny'n tipyn o faich withe. Ond yna fe wede Eic rywbeth fel hyn wrtho i: "Cymro glân wyt ti, cofia — a phaid byth â bod ofon neb." Ro'dd e'n gallu codi hyder dyn a phan fydde fe'n sylwebu neu'n trafod y gêm, fydde fe byth yn rhedeg neb i lawr. "Mae hwn yn dda ond rwy'n credu fod 'wnco'n well" fydde'i steil e.

'Pan o'n i'n y Coleg Hyfforddi yng Nghaerdydd fe fyddwn i'n cael mynd withe i gymryd rhan ar ei raglen e. 'Y Maes Chwarae' oedd honno, wrth gwrs — recordio yn Crwys Road bryd hynny. 'Na lle bydden nhw — Eic, Llew Rees, Jac Elwyn ac Idwal Davies yn siarad llond eu penne ac Eic fel rhyw athro yn gweud wrtho' i ble i ishte a beth i'w wneud. Ond ro'n i'n gallu teimlo'n gyfforddus yn eu cwmni nhw — oherwydd bod Eic mor ffeind, ond hefyd am eu bod nhw'n siarad mor rhwydd. Cwmrâg 'ti a thithe' oedd hi rhyng'ton nhw, a hynny, cofia di, mewn adeg pan oedd popeth ar y radio, popeth cyhoeddus yn Gwmrâg parchus 'chi a chithe'.

'Ro'dd ei Gymreigrwydd e bob amser yn dod mas yn gry. Os o'dd rhywun yn galler siarad Cwmrâg, o'dd e'n fachan da! Ac, wrth gwrs, os o'dd e'n dod o Gwm Twrch ar ben hynny — wel . . . !

'Ro'dd e'n hoff o straeon am yr hen gwmeriade, straeon yr

'*Upper* a *Lower*' bob amser yn mynd yn dda gydag e. Un stori fwynhaie fe 'da fi oedd honno am Dai Pritchard y reffari, oedd yn hannu o'r un pentre ag Eic.

'Bryd hynny, ro'n i'n whare i Bontypŵl. Dim ond y fi oedd yn siarad Cwmrâg yn y tîm hwnnw draw yng Ngwent 'twel, a'r diwrnod hwnnw ro'n ni'n whare yn erbyn Caerloyw — Saeson i gyd, yntefe. A phwy o'dd y reff ond Dai Pritchard, Cwm-gors.

'Dyma fi ato fe a gweud, "Shw'mai Dai, neis dy weld ti"; a hyn i gyd yntefe gan feddwl nawr, reit mae gêm fach nêt i fod fan hyn heddi. Ro'n i'n meddwl 'mod i'n rheoli'r gêm cyn i'r gêm ddechre 'twel.

'Y sgrym gynta', a fi o'dd yn rhoi'r bêl i mewn. Miwn â hi, strêt dan draed bachwr Pontypŵl. Dyma'r rheolwr yn chwythu'i bîb a gweud yn grand:

' "*Penalty to Gloucester. Not in straight by the Pontypool scrum half.*"

'Digon teg 'walle, meddylies i. Ishe dangos ei awdurdod yn y sgrym gynta' mae e. Fe gaeith ei lygaid weddill y gêm nawr. Breuddwyd pob mewnwr o'dd hyn 'twel — bod yn llawie 'da'r reff.

'Bedair neu bump sgrym ar ôl hynny a finne wedi rhoi'r bêl miwn yn gam bob tro a Dai wedi rhoi cic gosb i Gaerloyw bob tro, dyma fi'n troi ato fe.

' "Be' sy'n bod arnot ti Dai, 'chan? Dim ond dou ohonon ni sy'n siarad Cwmrâg ar y cae 'ma."

'A medde Dai Pritchard wrtho inne:

' "Dod hi miwn fel'na eto a dim ond un fydd ar ôl — a nace ti fydd hwnna." '

'A phan fydda' i'n gweud y stori 'na mae hi'n fy atgoffa i o'r hen Eic. Nid oherwydd Cwm Twrch yn unig 'twel ond y terme sydd ynddi hi — *mewnwr, bachwr, cic gosb.* Terme Eic yw'r rheiny i gyd ac maen nhw i gyd yn ffitio mor daclus i mewn i'r stori, yn llyfn ac yn naturiol iawn i'w defnyddio.

'O'dd Eic yn gry yn y gêm, ond o'dd e'n gry yn yr iaith yn ogystal.'

Clive Rowlands

Eic Davies — Athro Crwn

Ysgol Ramadeg Pontardawe, Medi 1943, a dosbarth o newydd ddyfodiaid yn aros am eu gwers Gymraeg gyntaf. Y mae'r drws yn agor a daw'r athro dieithr i'r ystafell. Gŵr main, esgyrnog yn brasgamu ei ffordd at ei ddesg, ei ŵn academaidd fel pe'n hedfan o'i ôl. Y cyfan a wyddem amdano oedd ei enw, Mr Brinley Rees. Am dair blynedd neu well ein braint ni oedd cael eistedd wrth draed yr ysgolhaig swil o Benrhewl cyn i'r Brifysgol ei gipio oddi arnom. Pan welsom ei olynydd cyntaf y peth amlwg oedd na ellid fod wedi cael dau ddyn mwy gwahanol o ran eu hymddangosiad corfforol. Yr oedd y naill yn fain ac esgyrnog ond y llall yma yn edrych yn borthiannus a chrwn. Y cyfan a wyddem amdano cynt oedd ei enw, Eic Davies, neu Isaac Davies, B.A.

Yr unig Isaac arall i mi ei adnabod bryd hwnnw oedd fy nhadcu, Isaac Evans. Glöwr, diacon, bardd gwlad a dyn parchus yn ei ardal. Yr oeddwn yn meddwl y byd ohono. Siom enbyd felly i'r ŵyr bach oedd clywed un o gyd-weithwyr ei dadcu yn ei gyfarch, 'Shw'mai Ike'! Nid oedd peth felly yn ddim llai na bwrw sen ar ddyn mor dda. Ar ben hynny nid oedd y talfyriad Saesneg, '*Ike*' yn gweddu i Gymro mor drwyadl. Ond wyddwn i ddim bryd hwnnw am y sillafiad Cymraeg tan i Eic Davies gyrraedd Ysgol Pontardawe. Wedi hynny fe allai'r neb a fynno gyfarch fy nhadcu a dweud, 'Shw'ma'i Eic'.

Yn y chweched dosbarth cafwyd cyfle i ddod i adnabod Eic yn well pan fyddai tua dwsin ohonom yn astudio llenyddiaeth Gymraeg yng nghyfyngder Rwm Z. Yno y crewyd perthynas agos rhwng disgybl ac athro. Y mae hi'n wers gyntaf ar fore Llun a'r athro yn cyrraedd yn ei siwt o frethyn Cymru, y ddraig goch yn falch ar ei dei werdd a bathodyn y Blaid yn llabed ei got.

'Iawn 'te, y'n ni'n mynd i wilia am ysgrife T.J. Morgan heddi. Os dishgwlwch chi yn *Trwm ac Ysgafn* wy' am i chi gael pip fach ar y drydedd ysgrif. Darllenwch hi drwyddo i gael gweld beth y'ch chi'n feddwl.'

Ufuddhau a thwrio am y gyfrol yn ein bagiau ysgol. Aeth yr

athro i'w fag yntau a thwrio am y *Western Mail*. Plannu'r bibell goes gam rhwng ei ddannedd a'i sugno'n fodlon ond heb ei thanio. A thra fyddem ni yn darllen ysgrif mi oedd yntau yn astudio adroddiadau gohebydd rygbi y *Western Mail*.

'Nawr 'te, bachan o'r Glaish o'dd T.J. Morgan fel y'ch chi'n gwbod ac fe fuodd e'n ddisgybl fan hyn fel chithe. Wedyn, rhwng popeth, fe ddyle fod fwy o obeth 'da chi i ddyall beth ma' fe'n weud . . . '

'Syr!'

'Ie?'

'Beth o'ch chi'n feddwl o'r gêm dydd Sadwrn, syr?'

Y gêm honno oedd y frwydr fu rhwng ein hysgol ni a Maesteg y bore Sadwrn cynt ac Eic wedi bod ar ddyletswydd yng ngofal y tîm!

'O'dd dim o'i le ar y gêm 'se ti Ifans wedi bihafio.'

'Fi? Beth 'netho i syr?'

'Paid gofyn beth wnest ti, weles i di. Roiest ti snwben i'r crwt Maesteg 'na nes bo' fe'n canu a rhoi cic gosb bant a cholli'r gêm i ni. 'Na beth wnest ti.'

'O whare teg, ca's e ddim snwben, dim ond weret fach o'dd hi.'

Yna lledodd gwên dros yr wyneb. Mi oedd Eic wedi gweld cyfle i ddechrau trafod yr amrywiol enwau sydd i'r weithred o weinyddu cosb gorfforol ac olrhain eu tarddiad. Snwbwn, weret, pelten, cernod, ffliwen, wad, clusten, bonclust, posen, clwm pump, hemad, plamad, coten a bant â hi. Rhyfedd oedd clywed y fath eirfa yng ngenau'r heddychwr mwyn. Ond ni fynnai Eic golli'r un cyfle i drafod cyfoeth tafodiaeth y broydd hyn. A na, nid oedd *Trwm ac Ysgafn* wedi mynd yn anghof. Mi oedd gwerthfawrogi tafodiaeth y cwm yn help i ddod i adnabod y llenor o'r cwm a gwerthfawrogi ei waith gymaint mwy.

Efallai mai'r ffordd orau i ddisgrifio ei ddawn fel athro fyddai dweud fod mynd o amgylch y testun lawn cyn bwysiced iddo â dod ato yn uniongyrchol. Daeth llenyddiaeth yn llawer mwy byw wrth i Eic adrodd hanesion am yr awduron, eu cefndir a'u syniadau. Fel y dywedodd un o'm cyfoedion ysgol, 'Mawredd, fe geson ni gefndir 'da fe!'. Os mai ehangu gorwelion plant a'u diwyllio yw rhagoriaeth athro, yna mi oedd Eic yn wir ragorol. Ar y llaw arall os mai yn ôl llwyddiant mewn arholiadau y mae mesur ei werth, yna mi oedd Eic yn llwyddiant digamsyniol gan mai eithriad fyddai i neb fethu yn y Gymraeg.

Mentraf ddweud mai un o'i bennaf ragoriaethau oedd ennyn y ddawn greadigol yn ei ddisgyblion. Pan ymddangosodd y rhifyn cyntaf o gylchgrawn yr ysgol, *Y Bont* gofalodd Eic fod y Gymraeg yn cael ei lle.

'Dafydd Rowlands, 'wi'n dishgwl ysgrif 'da ti.' A daeth un o'r ysgrifau cyntaf o law awdur *Ysgrifau'r Hanner Bardd*. 'A ti William John Phillips, gan bod Parry-Williams yn gyment o eilun 'da ti fe gei di gyfrannu soned ne' ddwy'. Erbyn hyn y mae Prif Weithredwr Cyngor Sir Dyfed yn englynwr campus. 'Meirion Ifans, 'wi'n mo'yn i ti gyfansoddi cwpwl o delynegion. A dewch â nhw erbyn wthnos nesa'.'

Rai blynyddoedd cyn diwedd ei oes mi oedd Eic yn glaf yn Ysbyty Glangwili ac wedi gyrru neges i mi ddod yno i'w weld ar fyrder. Buan y deallais fod ei feddwl ychydig ar chwâl ar y pryd.

'Ishte fan'na i fi ga'l siarad â ti. Nawr 'te, gynted â bydda' i ma's o'r lle 'ma 'wi mo'yn i ti ddod 'da fi. Y'n ni'n dou yn mynd i feddiannu Capel y Gwrhyd.'

'O? Odyn ni?'

'Odyn, wrth gwrs 'ny. Ti'n gweld, Mamgu o'dd pia fe, a nawr ni sy' pia fe. Ti'n dyall? Ond ma' un peth yn saff i ti, dydyn *nhw* ddim yn cael mynd a fe oddi arno ni. Ofalwn ni am 'na, ti a fi.'

Nid wyf yn hollol siŵr o'r ffeithiau, ond mi oedd cysylltiad agos rhwng teulu Eic a dechreuadau'r capel bach diarffordd ar Fynydd y Gwrhyd. Credaf mai ar dir ei famgu y codwyd ef. Neu o bosib fod ei famgu a'i fam yn gymaint ffyddloniaid nes i'r ŵyr a'r mab gredu mai eu heiddo hwy oedd yr addoldy. Beth bynnag am hynny, nid oes angen dweud na ddaeth dim o'r fenter i fynd yno i'w feddiannu. Ond tua'r adeg y bu farw Eic, fe ddaeth y *nhw* a fandaleiddio'r cysegr bach anghysbell. Rhwygo Beiblau, difrodi llyfrau emynau, ysbeilio'r sanctaidd. Noson neu ddwy wedyn clywyd un o bobl y Gwrhyd yn herio'r moch a dorrodd drwy'r mur ac yn dweud y byddai yno ddrws agored o hyd ac yn addo y clywid eto blant yn canu ac yn adrodd adnodau yn y mynydd hwn. Hynny ar eu gwaethaf *nhw*. O'r un rhuddin y gwnaethpwyd un arall o blant y fro honno. Ni chaiff mo'r Gwrhyd gwympo i'w dwylo *nhw*. Ni chaiff Cymru chwaith fynd i'w dwylo *nhw*. Eiddo ein teulu ni yw y rhai hyn.

Bu llawer o ganmol ar Eic a diolch iddo am ei gyfraniad yn creu geirfa Gymraeg i fyd chwaraeon. Y mae'r clod yn haeddiannol. Serch hynny, mi gofiaf mai yr un ydoedd yn y dosbarth ac ar y maes chwarae, yn annog ac yn ysbrydoli yn y naill fan fel y llall. Rhyw ddydd Sadwrn ac yntau ar ddyletswydd gyda thîm yr ysgol, teimlodd yr athro nad oedd y bechgyn yn rhoi o'u gorau i'r frwydr. Y mae ei gri o ystlys y maes yn dal i atseinio ar fy nghlyw, 'Dewch y tacle! Dihunwch!'. Yn yr un modd y cadwodd ni ar ddihun yn y frwydr dros Gymru a'r Gymraeg. Ni allwn gysgu yn y frwydr hon na dianc ohoni chwaith. Yn wir, dyma beth ydoedd athro cyfan, crwn.

Eic

Eisteddaist ddoe o fy mla'n
fel Eseciel ym mhrynhawniau trwm yr ysgol
ac anadl einioes dy Gymraeg
yn chwythu yn ysgafn i'r esgyrn
oedd yn sychu yn y dyffryn seisnig.
Ac yn oerni'r Sadyrnau
pan fyddai'r esgyrn yn sigo
o dan bwysau'r ymosod
nes dyheu ohonof gael diosg y lliwiau,
deuai ail-wynt o dy anadl di.
A heddiw dyma ti
yn sefyll wrth fy nghefen
ar draws y llwybr dianc.

A phan 'wy'n pendwmpan
yn niflastod hir yr aros,
daw geiriau dy gerydd yn gorwynt
i'm bwrw ar fy mhen i'r gerwyn
a lenwaist gynt â'r oerddwr hud.
A byddaf yn deffro eto
yn eiddgar i gwrdd â'r Gŵr Du.

Meirion Davies

Eic

Teyrnged i Eic Davies gan Carwyn James a gyhoeddwyd yn y *Radio Times*.

'A chroeso i rifyn arall o'r "Maes Chwarae".'

Llais a chyflwyniad a ddaeth yn gyfarwydd ar hyd y blynyddoedd o'r pumdegau ymlaen. Llais diogel Eic Davies yn parablu llond ceg o dafodiaith Cwmtawe, a'r hwyl a'r asbri yn y cyflwyno ac yng nghynnwys y rhaglen yn sbardun droeon i drafodaeth dwym gartre.

'Glywest ti *fe* Jac Elwyn nithwr yn rhoi Clem miwn o flân Len Davies? Dim blydi ffiar. Bias bois Abertawe. Ac ma'r Llew Rees 'na o'r gogledd, beth ma' e'n 'i ddiall, yn dal i hwpo Cliff Morgan!'

Roedd 'na fynd ar y trafod a mynd ar y rhaglen. Ac o dipyn i beth fe soniai pobol yn naturiol am *asgellwr, maswr* a *chlo*. Fe gyfieithodd Howard Lloyd reolau rygbi i'r Gymraeg, fe wisgodd y cynhyrchydd, Wyn Williams, fantell yr arbenigwr ar baffio ac o dro i dro drwy'r gwifrau fe ddoi llais main o'r gogledd i sôn am fowls.

Fe dyfodd 'Y Maes Chwarae' ac esgor ar 'Campau' a hwyrach mai'r ŵyr yw 'Byd y Bêl'. Chwilio am dermau a thermau a mwy o dermau, sefydlu panel, a gofyn am sêl a bendith yr Athro Stephen J. Williams. Erbyn hyn tan gyfarwyddyd profiadol Tomos Davies mae 'na wedd cwbl broffesiynol ar gyflwyno'r campau yn y Gymraeg.

Atgofion am y dyddiau cynnar cyffrous ym myd y campau a gawn yn y rhaglen 'Eic'. Yn nhraddodiad cyfarwyddiaid yr Oesoedd Canol mae gwrthrych y rhaglen wrth ei fodd yn dweud stori am hwn ac arall. Llu o storïau, un yn plethu yn y llall, a phob un yn cael 'u hanwesu'n dadol a thirion gan lais sy'n llawn direidi a'r direidi hwnnw'n heintus.

Braint ar hyd y blynyddoedd oedd cael cydweithio gydag Eic Davies ar y meysydd rygbi ac o flaen y meic yn y stiwdio. Ac wedi'r gwrando rwy'n siŵr y byddwch chithe fel minne yn diolch i Owen Roberts a Wyndham Richards am gael perswâd ar Eic i ail gynnau'r fflam ar aelwyd gynnes.

Carwyn James

Eic Davies a Carwyn James yn Sgwrsio

(Cyhoeddwyd yn wreiddiol yn *Barn*, Rhag/Ion 1982/83)

Carwyn: Wel, Eic Davies, fe wn i eich bod chi'n dal i fynychu'r meysydd chwarae, ond pan na fyddwch chi'n mynd, ar ddiwrnod cenedlaethol, os caf fi ei roi fe fel'na sut fyddwch chi'n cael yr hwyl a'r wefr ar y diwrnod holl bwysig?

Eic: Wel, yn y blynyddoedd diwethaf pan oeddwn yn byw yng Nghwmystwyth roeddwn i'n gorfod dibynnu ar y teledu. A 'dych chi damaid gwell o edrych ar gêm, yn enwedig gêm genedlaethol yn erbyn Lloegr, ar eich pen eich hun yn y tŷ yn gwylio teledu. Roeddwn yn croesi'r cae, draw at Merêd a Phillis ac yn gwylio'r gêm gyda'n gilydd, ond yn gwrando ar y sylwebaeth yn Gymraeg ar y radio. Mae'n fwy cartrefol i ni wrth gwrs, ac, os rhywbeth, yn fwy byw, yn arbennig i edrych ar y teledu, doedd 'na ddim gormod o lap amboitu fe, welwch chi.

C: Oeddech yn teimlo fod yna bwyso ychydig yn fwy ar un ochr na'r llall?

E: Wel, fe fydde'r oslef ambell waith yn bradychu i ba ochor neu i ba genedl oedden nhw'n perthyn, neu oedden nhw'n dda iawn, rydych i gyd yn dda iawn os caf i ddweud.

C: Ydych chi'n gwrando'n feirniadol ar y geiriau a'r ymadroddion a'r termau ac ati?

E: Falle i radde heb yn wybod i mi. Gwylio'r gêm sy'n mynd â bryd dyn.

C: Ond mae yno fwy o hwyl yn y Gymraeg?

E: O, mae yno fwy o hwyl i fi, oes; mae'r peth yn fyw yn y Gymraeg. 'Dyw Saesneg ddim yn iaith fyw i mi yn chwaraeon hyd yn oed. Mae'n well gen i wrando lawer ar sylwebaeth yn Gymraeg, ac fe fyddaf i wrth gwrs, os bydd 'na rhyw derm newydd i mi yn dod i'r brig, wel, fe fydda' i yn cymryd diddordeb arbennig yn y rheiny, ac yn anghytuno ambell waith.

C: Roeddwn i'n darllen ysgrif o'ch gwaith chi yn y gyfrol honno, *Y Crysau Cochion* y dyddiau diwethaf yma, cyfrol a olygwyd gan Howard Lloyd, Coleg y Drindod, ac roeddwn yn sylwi yn y fan honno eich bod chi'n defnyddio un term sydd bellach wedi mynd allan o eirfa pob un ohonom ni, ond mae'n dda gennyf i ddweud, wedi ailddarllen eich ysgrif chi, mi ges i gyfle i'w ddefnyddio fe, hynny yw, fe ddaeth allan o'r isymwybod y gair 'gwelleifio' am 'siswrno'. Mae hwnna wedi mynd allan rhyw fodd on'd yw ef?

E: Ydy, oherwydd fod gwelle ei hunan wedi mynd allan o fod, dyw pobol ddim yn gwybod beth yw gwelle, ond, mae ffermwyr canolbarth Cymru yn gwybod beth oedd e yn iawn, ontefe, ac yna doedd dim iws defnyddio fe gyda'r to newydd; 'siswrn', maen nhw i gyd yn gwybod beth yw siswrn, ond i mi roeddwn yn hoff iawn o ddefnyddio'r term 'gwelle'. Mae rhywbeth llawer mwy Cymraeg ynddo na 'siswrn' yn does e?

C: Oes, wel mae dyn yn clywed y gair Saesneg on'd yw e? wrth ddefnyddio'r gair 'siswrno', on'd yw e?

E: Ydy.

C: Wel nawr 'te i fynd 'nôl gam a meddwl am y termau yma a phryd y bathwyd y termau yma, oherwydd roeddech chi'n un o'r arloeswyr. Ydy'r cof gyda chi pa bryd y gwelsoch chi'r termau yma gyntaf, rhai ohonyn nhw?

E: Gaf fi fynd nôl ychydig bach am eiliad. Y darlledu cyntaf yn Gymraeg — yng Nghastell-nedd, y bu hynny. Roedd hi tua 1934, Mabolgampau'r Urdd, ac R.E. Griffith a finne yn cael rhyw ddeng munud i wneud y darllediad hwnnw. Yn '34, roeddwn yn dysgu yng Nghaerdydd a roedd Vic Jones a Gwyn Daniel yno hefyd, y ddau ohonynt yn eiddgar iawn dros y Gymraeg. Ar y pryd hwnnw, roedd plant Cymraeg yn cael dewis, neu roedd y rhieni yn cael dewis, p'un a oedden nhw'n cael dysgu Cymraeg yn ysgolion cynradd neu beidio, a'u hanner nhw, os eu hanner nhw, oedd yn cymryd Cymraeg, oherwydd fod y rhieni â gormod o ddiogi arnynt i lenwi'r ffurflenni, lot ohonynt. A dyma Vic neu Gwyn, neu'r ddau ohonyn nhw, yn cael y syniad — 'Fe awn ni â nhw mas,' mynte fe, 'i chwarae rygbi ar fore dydd Sadwrn.' Pêl-droed oedd yn cael ei ddysgu a'i chwarae yn yr ysgolion cynradd, felly fe gawson nhw gynnig — 'Ar yr amod os dysgwch chi Gymraeg, fe gewch chi ddod mas i chwarae rygbi gyda ni acha bore dydd Sadwrn.' Wel, dyma'r dosbarthiadau yn dechrau tyfu, ac o fynd mas i Erddi Llandâf i chwarae rygbi, yn Gymraeg, dim gair o Saesneg yn cael ei ddefnyddio o gwbwl, roedd yn rhaid cael termau. Ac mae gen i gof o ddalen o'r chwaraewyr, eu safleoedd nhw, oedd wedi cael ei sgrifennu, yn ysgrifen Vic ac roedd Gwyn tu ôl i'r peth hefyd, ontefe, ac roedd dau derm yn aros yn fy nghof i, 'mewnwr' a 'maswr'. Nawr, nhw sy'n gyfrifol am y ddau derm yna, 'canolwr', 'cefnwr' hefyd rydw i'n meddwl; 'blaenwyr' — dydw i ddim yn cofio a oedden nhw'n manylu ar y blaenwyr, ond roedden nhw bownd o fod yn gwneud hynny, dyna'r cyfan rydw i'n 'i gofio, ac wedyn pan es i ati i wneud y peth nes ymlaen, *un* o rheina newidiais i, 'aden'.

C: *Aden* oedd gyda nhw felly?

E: 'Aden' oedd gyda nhw. Meddwl drosto fe, fe ddaw diwrnod pan fyddwn ni'n cael sylwebaeth ar hyn a bydd rhaid dweud pethau yn gyflym, Nawr, adanedd neu adenydd, yn dair sillaf ontefe; roedd 'na air arall gyda ni, *asgell* am aden, a dyna pam defnyddiais i 'asgell', 'esgyll', roeddwn i'n teimlo ei fod yn dod yn rhwyddach.

C: Ie, rwy'n cael hi'n anodd gyda rhai o'r termau yma chi'n gwybod; mae 'reff' mor naturiol ar lafar gwlad on'd yw e, yn hytrach na 'dyfarnwr'. Mae 'dyfarnwr' yn swnio yn ychydig bach yn llenyddol i mi.

E: Ydy, ydy, rydym ni wedi cael ein magu gyda 'reff', yn 'dyn ni. Y dyn 'na fan'na, 'reff' fydde dyn yn feddwl, heb feddwl beth yw reff o gwbwl.

C: Gyda sylwebaeth, mae cymaint ohono yn yr isymwybod, a rhywfodd neu'i gilydd mae'n dod i'r wyneb o dan gyffro'r symudiad ac yn y blaen, a weda' i wrtho chi, un o'r problemau 'wi'n gael ar adegau, 'wi ddim yn gwybod a yw'r bechgyn eraill yn ei gael e, gartre yng Nghefneithin fyddwn ni'n dweud *try*, ac yn sydyn mae'r pwyllgor yma rwy'n credu ar ôl eich cyfnod chi a ydw i'n iawn, rydych chi'n defnyddio cais, ond fe ddaeth cais, beth bynnag yn wrywaidd, ac mae'n gas gen i ddweud dau gais a thri chais, oherwydd benywaidd yw *try* i ni.

E: Yn hollol, yr un peth sy' 'da fi chi'n gweld, ac roeddwn i'n gweld adroddiad dro yn ôl wnes i, yr adroddiad gyntaf wnes i erioed yn 1946, *try* ddefnyddiais i y fan hynny am ryw reswm neu'i gilydd, roedd pethau eraill fel 'trosgais' ac yn y blaen yn Gymraeg, a 'chais' chi'n gweld.

C: I'r *Guardian* roeddech yn ysgrifennu ar y pryd hynny?

E: Ie, *Guardian* y gogledd. Ys dywedodd Walter Rees pan geisiais i gael tocyn i fynd i weld gêm rhyngwladol gyda fe, 'Pwy ydych chi'n cynrychioli?' meddai ef, yn Saesneg oedd e'n gweud wrth gwrs, '*Y Faner*', mynte fi. 'Beth yw hwnnw?' 'Papur y gogledd.' 'Smo nhw'n gwybod dim byd am rygbi yn y gogledd,' myntai ef, ond fe aeth i fewn.

C: Ac fe gethoch diced. Mae siŵr o fod helynt i gael ticed oddi wrth Undeb Rygbi Cymru, ac roedd yr hen Walter Rees, yr hen gapten mor unbenaethol rydw i'n siŵr eich bod yn cael gofid ofnadwy i gael tocyn neu dicet mas o fe.

E: Wel mae'n rhyfedd mor rhwydd y ces i fe yn y diwedd. Y tro cyntaf dim ond wythnos oedd i fynd nes bod gêm yn Abertawe yn erbyn yr Alban yn 1946, y gêm gyntaf wedi'r Rhyfel, ac roedd hi'n gêm docynnau'n unig, hyd yn oed i'r cae. Roeddwn i ar y pryd yn dysgu ym Mynwent y Crynwyr a dim sôn am docyn lan fan'ny, sbâr, wel, fawr o ddiwrnode i fynd, a dyma fi'n cael y syniad o ysgrifennu at Mr Gwilym R. Jones, a gweud wrtho, os cewch chi docyn fe roia i adroddiad i chi. Wel dyma air yn dod yn ôl ar unwaith yn dweud ei fod wedi ysgrifennu at Walter Rees, ond roeddwn yn gwybod na chawn i ddim tocyn gyda Walter Rees, ond roeddwn i lawr yn Abertawe, a'r llythyr yma gyda fi, am ddeuddeg o'r gloch. Dim ened byw yn agos yn y lle, a dyma fi'n aros i'r drws i agor, a dyma'r drws yn agor i'r stand, a dau foi, un bob ochr yn dod i fyny a dyma fi'n mynd lan atyn nhw. *'Where's your ticket?'* Doedd dim un i gael gyda fi eglurais, oherwydd do'n nhw ddim wedi cael amser i hala fe, ac egluro, a dangos y llythyr ac yn y blaen. Allwch chi ddim mynd lan fan'na heb diced, mynnodd yntau. Wel, dyna bechod, bydd 'na hanner cant o adroddiadau ar y gêm yma yn Saesneg, a dim un yn Gymraeg, medde fi. *'Are you Welsh?'* meddai ef. *'Well, if you can do it in Welsh, you deserve to go up, come with me.'* A lan es i a ges i ishte yn y seddau blaen, yn y lle gorau a allech feddwl amdano fe, dim ened byw yn y stand, neb ar y cae, a dyma nhw'n dechrau dod mewn, a phwy oedd yn eistedd naill ochr a'r llall i mi ond Dai Gent ac Artie Gabe, a ges i gyfle ar Walter Rees, fe ddaeth draw i ysgwyd llaw ac yn y blaen, a ddywedes i wrtho fe bod gennyf i gyfaill tu fas, Cymro, a oedd wedi hala i fewn am docyn yn Gymraeg, ond ei fod e heb gael dim un. *'I can't cater for everybody, I've had about 50 to cater for,'* meddai ef. 'Wel dyna bechod,' meddais i wrtho fe, 'yr unig adroddiad yn Gymraeg.' A dyma fe'n pwyso draw ataf fi a dweud, *'Tell him to write to me in time next time, and I'll see what I can do,'* ac fe wnes i, gêm Iwerddon oedd hi, fe ges i docyn, pan ddaeth y tymor nesaf, gaeaf, Medi, fe alwes yn tŷ yng Nghastell-nedd fe gyffeses i wrtho fe, a chwerthin wnaeth e ac fe ges i docyn byth oddi ar hynny.

C: Wel, y termau yma, mae cymaint ohonyn nhw yn ddiddorol. 'Wi'n siŵr fod storïau a hanes i nifer ohonyn nhw. Rwy'n credu fod y term yma, gôl adlam, yn un dda chi'n gweld.

E: Wel nawr 'te, roedd y termau yma yn cael eu bathu fel roedd y peth yn digwydd. 'Gôl adlam': roeddwn i yng Nghaerdydd yma yn gwneud y gêm, ac yn y cantîn, yn cael pryd o fwyd, a dyna pwy oedd gyda fi oedd ond yr Athro Thomas Jones, wedyn, yn gyd-letywr i mi yn Aberystwyth, ac yn ddyn a oedd yn gwybod am rygbi, ac Edgar Llywelyn o Fynwent y Crynwyr lle roeddwn yn dysgu ar y pryd, Edgar yn dysgu Addysg Gorfforol. Roeddwn yn eistedd i lawr yn fan'ny a dyma rywun yn dod i fewn a sôn am y peth hyn a pheth arall a oedd yn gymharol newydd y pryd hynny, tua 1947 oedd hi, ac fe ddaeth y cwestiwn, 'A beth wyt ti'n ddweud am *drop goal*?' 'Dwi ddim wedi ei chael hi eto, meddai fi. Ac mynte Edgar, '*Kick on the rebound* yw hi ond taw e?', 'Gôl adlam,' meddwn i; fel'na, y daeth y peth o rhywle, *Grand,'* meddai Thomas Jones. Fe gafwyd un y prynhawn hwnnw, roedd hi ar yr awyr y noswaith honno, a nifer ohonyn nhw jyst yn dod ar y foment. Term arall a newidiais i oedd *dead ball line* i 'ffin gwsg'. Roeddwn i'n teimlo, wel smo'r gêm ar ben, smo'r bêl wedi marw, ontefe, taw rhyw fath o gysgu mae hi, ac roeddwn i'n teimlo bod e'n dod yn rhwydd hefyd ar ben hynny. Term arall, mae e wedi cael ei newid ers tipyn nawr, 'ochr gamu' sy'n cael ei ddefnyddio; wel, chi a'ch siort sy'n dweud beth yn hollol yw *side step*? Odych chi yn gwneud cam llawn i'r dde neu i'r chwith? Neu a ydych chi'n gwneud rhyw fath o hanner cam?

C: Ie, hanner cam, lled cam yw ef ontefe, am wn i, mae'n well term na 'ochr gamu'.

E: 'Wrandawa' i arno chi am byth.

C: 'Lled-gamu', fydda' i'n gofio, 'down ni ddim wedi pondero o gwbwl parthed y gair yna, o hyn allan fydda' i yn defnyddio y gair 'lled-gamu', diolch yn fawr am y gair yna! Ond mae cymaint o'r termau yma yn ddiddorol dros ben. Fi'n cofio ni'n cael seiat rhyw dro lan tua Aberystwyth yna ar ryw gwrs drama.

E: Odw rwy'n cofio roeddwn ni'n mynd i drafod y termau yma wythnos ar ôl hynny dyna beth oedd 'Y Maes Chwarae' i fod; roedd Tom wedi galw panel o ni at ein gilydd, a mynte chi tua chenol yr wythnos, dewch i ni gael sesiwn o ryw awr fach i ni fynd dros rhain i baratoi. Fe aethon ni ag un o'r pethau a godwyd oedd hyd, rydych chi'n gwybod ych chi'n defnyddio 'pas wrthdro', am *reverse pass* medde chi, beth ydych chi'n defnyddio am hon tu ôl y cefn, rhyw fath o *back flick* neu beth bynnag yw e ontefe? 'Does gen i ddim term i gael,' medde fi. 'Beth am "pas wrthol",' medde chi? *'Grand'.* 'Hei clywch, rydych chi'n chwarae dydd Sadwrn yntydych chi 'da Llanelli, a dyna'r gêm rydw i fod i wneud, defnyddiwch hi rhyw dro yn ystod y gêm i fi gael dodi fe ar yr awyr y noson 'ny.' Waeth roedd lot o hwnna yn cael ei ddefnyddio er mwyn dysgu Cymraeg. Deng munud o'r gêm wedi mynd. Tu fewn eich hanner eich hunan, chi'n torri, a dyma'r 'pas wrthol' yn dod, yn lle mynd i Dennis yn mynd i Cyril Davies. I lawr trwy'r canol, sgori dan y pyst. A chi'n dod yn ôl o'r 25, troi at y stand a'r bys bawd 'na lan, yn falch ei bod hi wedi gweithio. Dyna enghraifft o'r Gymraeg yn helpu rygbi.

C: Roeddech chi'n sôn wedyn am roi adroddiadau y noswaith honno. Pryd y dechreuodd yr adroddiadau hynny? 'Ddaeth yr adroddiadau felly o flaen y rhaglen 'Y Maes Chwarae', fel y cyfryw?

E: O do, fe ddechreuws, aroswch chi nawr, roedd y gêm yma yn Abertawe, ac fe rois i adroddiad i'r *Faner* arni, yr Alban a Chymru, ym Mis Bach 1946.

C: Gêm fawr Glyn Davies oedd honno wrth gwrs, ontefe, Glyn a Wynford?

E: Dyna chi! Wel, roedd rhaid ysgrifennu adroddiad arni ac i'r *Faner* â hi, ac roeddwn i yn y BBC yr un wythnos, ddiwedd yr wythnos, yn y cantîn eto, a phwy ddaeth ato fi ond Hywel Davies. 'Hei clyw,' meddai fe, 'rydw i wedi darllen yr adroddiad yn y *Faner*, gwna un i ni acha nos Sadwrn o rhyw gêm neu'i gilydd.' 'Recordio?' medde fi. 'O na, na, na, mae'n rhaid ei chael hi yn fyw.' Ac wedi lot o berswâd, 'Reit fe wna' i.' 'Boitu mis ar ôl hynny, daeth y cais am ragor, a chi'n gwybod beth oedd y gêm o bopeth? — fan hyn yng Nghaerdydd, Iwerddon yn chwarae Cymru — pêl-droed! Wel, rydw i'n gwybod digon bach am rygbi, o'n i'n gwybod dim am bêl-droed, ond fe aeth ar yr awyr, ac fe fu 'na ryw *gonference* ar ôl hynny; roedd yna rhyw bythefnos neu dair wythnos wedi mynd a fe ddaeth hi'n rygbi wedyn, ac aethpwyd ymlaen. Roedd hi yn rhyw dair munud bob nos Sadwrn, ond hyn sy'n rhyfedd, gorfod i ni fynd i 1948 cyn i ni gael adroddiad ar gêm ar waith Llanelli, y Strade, do, am rhyw reswm neu'i gilydd ontefe.

C: Ac wedyn Eic, y sylwebaeth ar gêm gyntaf oll, pryd ddigwyddodd hynny?

E: Dydd Gŵyl Ddewi 1952, rhwng Pontarddulais a Gorseinon ar ga' Gorseinon. Ac fe wnaethpwyd y sylwebaeth o'r ystafell uwch ben yr ystafell newid, a'r ffenest fawr ar agor gyda nhw yn fan hynny, pan fydde'r gêm yn mynd lawr i'r chwith i mi, roedd rhaid i mi bwyso mas trwy'r ffenest, Alun Williams yn fy helpu i ddala fi yn ôl; fe aeth rhyw ffordd neu'i gilydd.

Sylwebaeth (tâp):
> '*Ar y foment mae'r gêm yn mynd ymlaen reit o'n blaenau ni y fan yma, yn 25 Gorseinon. Mae'r bêl yn dod allan ar ochr Pontarddulais, allan i'r chwith, maen nhw'n rhedeg amdani, mae'r asgell chwith yn cael gafael amdani, ond fe'i taclwyd ef yn ddeheuig iawn, fe daclodd Lyn Evans, John L. Jones yn ddeheuig iawn yn fan'na, ac yn awr mae'r lein yn mynd ymlaen i ben draw'r cae oddi wrtho ni y fan yma. Mae'n cael ei thaflu i mewn i'r lein ac mae'r blaenwyr yn ymladd amdani hi, ac mae'r chwibanogl wedi mynd ac mae Mr Davies y rheolwr yn gofyn am sgrym iawn. A Phontarddulais sy'n arwain o dri phwynt i ddim.*'

C: Ac fe wnaethoch chi'r gêm yn gyfangwbwl, do fe?

E: Hanner awr, ie, hanner wnes i.

C: A honno'n mynd allan yn fyw?

E: A honno'n mynd allan yn fyw.

C: Oedd lot o waith cartref wedi cael ei wneud, Eic?

E: Dydw i ddim yn cofio fy mod i, ond y peth oedd yn fy mhoeni i gymaint â dim, os o'dd e'n fy mhoeni i hefyd, doeddwn i ddim yn nabod y bois wrth eu henwau, wrth gwrs, waeth oedd dim cyfle i fynd rownd ontefe. Ond roedd yna saith Jones, 'chi'n gweld, yn yr olwyr, ac fe aethpwd, fe enwes i rai o'r bois, 'Cefnwr ac yn y blaen yn sefyll mas, ond ma' hi gyda'r asgell chwith nawr, ac mae hi gyda'r asgell dde,' wrth eu safleoedd; a dweud y gwir roedd y bobol oedd yn gwrando y tu fâs i'r cylch yna, taswn i'n dweud ei bod hi gyda Wil Roberts bydden nhw'n gwybod pwy oedd Wil Roberts, ond mae hi gymaint yn haws i wneud gêm rhyngwladol na gwneud gêm rhwng dau bentref.

C: Wel, nawr 'te, de ddaeth rhaglen 'Y Maes Chwarae'.

Sylwebaeth (tâp):

> *'Ac mae'n amser nawr i ni droi at y campwaith. Dyma Eic Davies. "Noswaith dda a chroeso i rifyn arall o'r Maes Chwarae. Golff, criced, bocsio, pêl-droed, dwy eitem ar rygbi gan gynnwys trafodaeth ar arbrofi gyda rheolau sgrymio, Onllwyn Brace, Dewi Bebb, Idwal Davies a Jack Elwyn Watkins fydd wrthi, a thrafodaeth rhwng Howard Lloyd, Gwyn Erfyl, John Brace a Llew Rhys ar dynfa chwaraeon. Honna i gloi, dyna'r meysydd am heno.'*

C: Wrth gwrs roedd yna gryn dipyn o ddilyn ar y rhaglen honno yn doedd, tua 1956 y dechreuodd honno ontefe?

E: Ionawr 1956 oedd y rhaglen gyntaf.

C: Rwy'n cofio rhyw bwyllgorau mawr yn mynd ymlaen cyn hynny.

E: Buon ni lan yma yng Nghaerdydd, roedd yna rhyw saith neu wyth wedi ein gwahodd, roedd R.H. yna, roe'ch chi yna, roedd Gwyn Davies, roeddwn innau, Gwynedd Pearce yno siŵr o fod,

Terry Davies yno hefyd rwy'n credu, ond, does dim cof gennyf am ddim.

C: Wrth gwrs ein tad ni i gyd oedd Wyn Williams y pryd hynny, doedd Tom Davies ddim wedi cyrraedd, nag oedd?

E: Nag oedd. Roedd y peth yn dod o dan 'Newyddion', ontefe, a Tom Richards ond doedd Tom ddim yn dod yn agos, nac yn ymyrryd â'r rhaglenni hyn, 'Y Maes Chwarae'.

C: Rhaglenni Wyn oedden nhw?

E: O, rhaglenni Wyn oedden nhw, o ie; doedd Wyn ddim yn ymyrryd ag unrhyw adran, roedd gyda fe ryw arbenigwr ym mhob adran i ofalu. Dim ond iddo ef gael gwneud paffio, neu focsio. Droeon, fe gyrhaeddem ni'r fan hyn, llond car o ni i Parc Place, ac fe fydde Wyn yn eistedd ar y wal yn ein disgwyl ni. A dyma ni mas o'r car, a'i eiriau cyntaf fydde, falle bydde fe'n dweud wrth Jack Elwyn, 'Beth sydd ymlaen gyda ni heno?' Ac roedd y pen yn gweithio yn iawn, roedd Jack yn gwybod yn iawn, a Llew lan fan'na, byd rygbi lawer well na fydde Wyn er enghraiffst, ontefe, cariwch chi ymlaen bois cyhyd â'ch bod chi'n llwyddo, fel'na bydd hi, ontefe!

C: Jyst yn rhoi amseriad oedd Wyn felly, ie?

E: Jyst yn rhoi amseriad, ie. Ie, ie, gwrando ar *rehearsal* a dweud '*Grand boys*'.

C: Roedd 'na ddadle ffyrnig yn mynd ymlaen rhwng Jack a Llew ambell waith.

E: O, bendigedig, bendigedig, allech chi dyngu taw nhw oedd y ddau a fydde'n mynd i yddfe ei gilydd, unrhyw amser, ond, ro'n nhw'n gwneud y peth yn fyw, ro'n nhw'n gwneud e'n fyw gyda'u tafodiaith, siwt dafodiaith fendigedig i gael gyda Llew, a gyda Jack; Llew o'r Rhicos a Jack o Abercrâf.

C: Rhicos.

E: Rhicos, ac roedd y ddau yn gwybod am beth oedden nhw'n siarad. Roedd Llew wedi chwarae i Ddyfnaint, ac wedyn roedd Jack wedi cael prawf olaf i Gymru, wel, Capten Abertawe ddwy waith yn yr ugeiniau, yn do fe?

C: Fel canolwr ife?

E: Fel canolwr o'n ni'n arfer, ro'n ni'n credu taw fel asgell oedd e, roedd e tu fâs i Rowe Harding.

C: Rowe, ie, dyna chi.

E: Roedd Howe Harding gyda fe, ac ma'n rhaid i mi ddweud y stori yma, ynglŷn â dod yn agos i gael ei ddewis i dîm Cymru, ontefe. Roeddwn i lan yn Llundain yn gwneud rhyw gêm yn Nhwickenham; Evans, fi'n credu, oedd y mewnwr gyda Chymru, châs e ddim gêm rhy dda. Roedd e lan yn y north dydd Llun, 'ta p'un ar ôl hynny, a fe wedws Jack beth oedd e'n feddwl ohono fe, nos Sadwrn. A phan o'n ni'n dod lan i'r maes chwarae, mynte Jack, 'Gwranda ar hwn,' medde fe, a dyma fe'n darllen y llythyr a oedd e wedi gael y bore hynny, oddi wrth ffrind i'r Evans oedd e wedi gael e, ac fe gwplodd e fel hyn, *'In any case, he had one cap more than you!'*

C: Os ei dweud hi, dweud hi, ontefe.

E: Ie.

C: Beth fi'n gofio am y bechgyn yma — achos bues i gyda nhw yn y Stiwdio naw o weithiau, a chithau yn y gadair y fan hynny — oedd cyflymdra'r parabl, roedd y geiriau yma yn llithro allan mor gyflym, chi'n gwybod, fel bod pob eiliad yn eiliad olaf einioes.

Sylwebaeth (tâp):
  'Ac at y drafodaeth gyntaf ar rygbi. A'r arbrofi gyda rheolau

sgrymio, dyna destun ein trafodaeth ni rhwng Idwal Davies ac Onllwyn Brace yn Abertawe, a Dewi Bebb yma yng Nghaerdydd; — llongyfarchiadau Dewi ar eich dewis yn Gapten ar Abertawe a'r awene yn nwylo Jack Elwyn Watkins yn Abertawe. Mae Cymru, Lloegr, Yr Alban ac Iwerddon yn gnweud arbrofion gyda rheolau'r gêm rygbi eleni fel rwyt ti'n gwneud Eic. Cymru am fis gyfan, Lloegr ar ddau ddydd Sadwrn yn unig, Yr Alban ac Iwerddon ond mewn rhai gêmau. Gaf fi ofyn i ti Idwal yn gyntaf, a wyt ti'n cyd-fynd fod angen newid y rheolau yma?' 'Wel, byddaf fi'n meddwl fod e'n amlwg i bawb, bod y gêm ddim digon da beth bynnag.'

C: Fi'n cofio Jack rhyw noswaith, roedd e wedi dod o hyd i rhyw air mawr — 'effeithiolrwydd' oedd y gair, ond roedd e'n siarad gyda chymaint o gyflymdra meddai fe, 'effetheth, o uffern' meddai, a fel'na chi'n gweld. A dyna oedd Jack ontefe.

E: Fe, neu Bilo ei hunan wedws y stori wrtha' i; Bilo Rees, brawd Jo Rees, roedd e wedi mynd lan i'r north, ond arhosws e ddim i gael cap, neu fydde fe wedi'i gael e, ontefe, dirwasgiad roedd e'n gorfod mynd lan, 'ta pun. Wedi cwpla'n y north, fe ddaeth yn ôl i Glydach i gadw tafarn, a'r amser hynny, tridegau cynnar, doedd wiw i chi fynd yn agos i gae rygbi os o'ch chi wedi bod lan yn y north. Fe lwyddws Bilo i gael tocyn i'r gêm yma rhwng yr Alban a Chymru. Cadw tafarn, diwrnod oer, dyma fe'n saco rhyw hanner potel o wisgi yn ei boced. Ac i'r lle yma, — neb yn agos i'r lle oedd e'n nabod, a phob hyn-a-hyn roedd y gêm yn torri lawr, roedd yna rhyw seibiant wedi dod 'ta pun, ac roedd Bilo yn cymryd llwnc o'r wisgi yma, ac edrych rownd i gael gweld a oedd rhyw gyfaill i basio'r botel ymlaen. Neb! Wedi mynd ymlaen ac ymlaen tua hanner dwsin o weithiau, dyma lais yn dod o'r tu ôl, 'Hei, bachan diarth, driblwr da â'r diawl ych chi, ond paswr gwael uffernol.' Rwy'n credu dyna'r stori rygbi orau rwy'i wedi glywed erioed, mae'n dod a'r termau i fewn ontefe, gyda'r driblo a'r pasio ac yn y blaen.

C: Ie. Roedd rheiny'n ddyddiau cyffrous ar lawer cyfrif. Mae wedi bod yn gryn dipyn o bleser i chi Eic, mae'n siŵr, i weld y mab hefyd wedi cydio nid yn unig yn y terme, ond yn y grefft yma o wneud sylwebaeth ar gêmau rygbi.

E: Ydi, mae 'na dîm da, da iawn . . . Rwy'n mwynhau gwrando arnoch chi, yn gwneud pwynt o wrando; ac fydda' i ddim, 'dwi ddim yn meddwl, yn ymwybodol yn meddwl fod y peth wedi dechrau yn ôl yn 1946 o gwbwl, ond gwrando ar y peth a'i fwynhau e fydda' i.

Sylwebaeth (tâp):

> *'Ar linell deg meter Ffrainc y mae, mae gan Maleg y clô, yr wythwr, pas Salas, heb fynd i ddwylo neb, Holmes yn ceisio amdani dros Gymru ar linell deg meter Ffrainc, canol y cae, unwaith eto, Alan Martin, gwaith da, ennill y bêl, Gareth Davies, Steve Fenwick y tu fâs iddo fe, bylchu nôl tu fewn, i Alan Phillips y bachwr, nôl gyda Gareth Davies, a dyma gais i Dai Richards.'*

E: Bydd 'na hanner cant o adroddiadau ar y gêm yna'n Saesneg, a dim un yn Gymraeg.

Eic a Darlledu

Agorwyd y stiwdio gyntaf y tu allan i Lundain ar Chwefror 13eg, 1923, uwchben Sinema'r Castell gyferbyn â Chastell Caerdydd. Er bod stiwdio gan y genedl, bu'n rhaid rhannu'r donfedd â Gorllewin Lloegr, a Sais oedd Cyfarwyddwr cyntaf y ddarlledfa, Yr Uwch-gapten Corbett Smith, a Sais oedd yn casáu'r Cymry hefyd. Roedd yn rhaid rhannu tan Orffennaf 4ydd, 1937, pan gafwyd hyd i donfedd i Gymru'n unig ar 373.1 metr; buasai llawer, a Saunders Lewis yn enwedig, yn uchel eu beirniadaeth oherwydd y byddai'r Gorfforaeth yn mynnu clymu Cymru wrth Orllewin Lloegr, a Chymru yn eu barn nhw'n genedl, nid rhanbarth. Tybed a fu Eic yn galw'n groch am yr annibyniaeth hon? Ni wn — nid oes tystiolaeth gennyf — ond fe synnwn i'n fawr pe na buasai, gan gymaint oedd ei falchder yn ei genedl.

Fe'i clywyd gyntaf ar brynhawn Sadwrn, Gorffennaf 16eg, 1938, rhwng dau a hanner awr wedi dau o'r gloch, yn rhoi 'disgrifiad llygaid-dyst' o fabolgampau'r Urdd ym Mharc Glantaf, Pontypridd, gyda R.E. Griffith. (Isaac oedd ef ar y pryd, ac ni wn pryd y penderfynodd mai Eic fyddai orau). Roedd yn rhaid bod cryn dipyn o ddylanwad gan Ifan ab Owen Edwards ar fyd y darlledu yn y blynyddoedd hynny gan fod sylwebaeth ar y mabolgampau bob blwyddyn o 1936 hyd 1939. Pam, tybed, na chafodd Eic ddarlledu yn 1939 pan gynhaliwyd y mabolgampau yng Nghastell-nedd? — gwnaeth R.E. Griffith yr hanner awr gyfan ar ei ben ei hun.

Trueni na chafodd Eic y fraint o ddarlledu'r adroddiad cyntaf ar ornest rygbi. Y cyntaf y gallwn i gael hyd iddo oedd hwnnw ar Ragfyr 21ain, 1935 — adroddiad deng munud, sylwer, ar yr ornest fythgofiadwy honno rhwng Cymru a Seland Newydd. 'Disgrifiad Sylwedydd o'r chwarae Rygbi. Y sylwedydd fydd Delfan Lewis,' meddai'r *Amserau Radio*. Bûm i'n chwilio am y sylwedydd pan oeddwn i'n ymchwilio i hanes darlledu rai blynyddoedd yn ôl, ond yn ofer.

Pan ddaeth y Rhyfel ym Medi 1939, diflannodd y *Welsh Home Service* a chafwyd un donfedd yn unig ar y dechrau, sef y

'*National*', ac yna yn Ionawr, 1940, daeth tonfedd 'Y Lluoedd Arfog'. Atgyfododd y *Welsh Home Service* ar Orffennaf 29ain, 1945, ond ni chafodd Eic ei gyfle tan Fawrth 9fed, 1946, pan chwaraeodd Cymru'n erbyn Iwerddon yng Nghaerdydd mewn gornest ddibwyntiau (ni ddechreuodd y gornestau rhyngwladol llawn cyn Ionawr 1947). Fel hyn y rhoddodd ef hanes y cyfraniad hwnnw i fwletin Newyddion Cymraeg y nos Sadwrn honno: 'Ro'n i'n digwydd bod yn ffreutur y BBC yng Nghaerdydd ychydig ddiwrnodau cyn y gêm, a dyma Mr Alun Watkin Jones a Mr Hywel Davies ata' i a gofyn a rown i ddisgrifiad o'r gêm ar y radio y nos Sadwrn honno. Wedi darllen adroddiad *Y Faner* roedden nhw a'r ddau'n barod i fentro'u henw da. Mentrais innau, a beth bynnag am swmp y sylwadau roedd newydd-deb y termau yn gafael oherwydd parhaodd y gwahoddiadau, gan gynnwys un ar y gêm bêl-droed rhwng Cymru ac Iwerddon ar 4ydd o Fai, 1946.'

Adroddiad Eic ar yr ornest rhwng Cymru a'r Alban ar Faes Sain Helen, Abertawe, yn Ionawr y flwyddyn honno a welsai'r ddau. Cafodd ei gyfle nesaf ar Sadwrn cynta'r tymor newydd ym Medi 1946, ond yn rhyfedd, ni ofynnwyd iddo roi adroddiad o'r Strade cyn Ionawr 1948.

Clywyd y sylwebaeth Gymraeg gyntaf ar Radio Cymru (y WHS o hyd, bid siŵr) ar Sadwrn Gŵyl Ddewi, 1952, pan aeth Eic i Gorseinon lle'r oedd Pontarddulais yn chwarae. Rhannu'r amser darlledu a wnaeth â Gilbert Bennett a sylwebai o'r Gnoll yn Saesneg ar yr ornest yn erbyn Aberafan, a llanwyd ei hanner awr ef 'rywsut', yn ôl Eic, er gwaetha'r ffaith fod saith 'Jones' ymhlith yr olwyr. Cwrddodd ef â dyn o Frynaman wedyn a wrandawsai ar ei sylwebaeth, ac roedd hi'n amlwg fod hwnnw wedi ei mwynhau . . . 'Ro'n i'n gallu deall y rhan fwya ohoni hefyd!' meddai. Gyda llaw, ni fu sylwebaeth ar ornest ryngwladol yn y Gymraeg cyn Cymru'n erbyn Y Crysau Duon yn 1972 (John Evans a Charwyn).

Pam y mae Ionawr 13eg, 1956, yn ddyddiad mor bwysig? A wyddoch chi? Wel, y nos Wener honno y darlledwyd rhifyn cyntaf o'r 'Maes Chwarae' — rhaglen a barhaodd am bymtheng munud gan ddechrau am chwarter i saith o'r gloch. Mi gofiaf imi wrando arni pan oeddwn i'n byw ym Mangor, ac ysgrifennais at Y Gorfforaeth i'w llongyfarch amdani. Y bwriad oedd iddi fod yn rhaglen fisol, ond cafwyd ymateb mor galonogol fel y galwyd am rifyn pythefnosol. Rwyf fi'n hynod falch fy mod i'n rhan o'r ymateb calonogol hwnnw, ond ni feddyliais ar y pryd mai myfi a'i cynhyrchai faes o law. Yn y rhifyn clywyd sylwebaeth Eic ei hun ar gais a sgoriasid y Sadwrn cynt ar Faes Caerdydd, a'r brif eitem oedd trafodaeth gyffredinol am y Campau gan Carwyn James, Rhys H. Williams, Llew Rees, Gwynedd Pierce a John Roberts Williams. Erbyn hyn mae tri o'r pump hyn wedi hen farw — Carwyn, Llew a Rhys — a'r Cadeirydd hynaws ei hun, a'r cynhyrchydd Wyn Williams, ond mae'r chwarter awr honno'n fyw yng nghof y genedl.

Carreg filltir dra phwysig oedd hi. Mae hi'n eithaf posibl imi glywed adroddiadau Eic ar 'Y Newyddion' cyn i'r 'Maes Chwarae' ddechrau, ond ni allaf gofio a bod yn onest: ta waeth, roedd hi'n bleser o'r mwyaf gwrando ar ei gadeirio y noswaith honno — ei lithrigrwydd, a'i gynhesrwydd a'i ddawn ddiamheuol fel darlledwr. Ni chwrddais ag ef y pryd hwnnw, ac yn wir, ni chefais y fraint o ysgwyd ei law tan inni gyfarfod ar faes Heol Lansdowne ar ôl i Gymru ennill o 10-9 yn 1960 ac yntau ar ei ffordd i stiwdio RTE yn Nulyn gyda Llew Rees a Jac Elwyn Watkins i drafod chwarae'r prynhawn. Enillodd Cymru pan ryng-gipiodd Onllwyn Brace y bêl a gwibio ar hyd yr ystlys cyn sgorio yn y gornel — trosiad campus Norman Morgan a'i henillodd a bod yn fanwl gywir, ond y rhyng-gipiad oedd yn bwysig am y rheswm hwn. Wrth drafod y cais, 'rhagod' oedd y gair a ddefnyddiais i, ac fe'm canmolwyd ar unwaith gan Eic, ac yn wir, bu ef yn sôn droeon wrthyf amdano pan oeddem ni'n cydweithio wedi imi ymuno â'r Gorfforaeth ym Medi, 1961.

A dyma ni wedi cyrraedd y termau. Un da odiaeth oedd Eic am fathu termau, a chwilio am rai oedd eisoes yn bod yn yr iaith, ac efe a gadeiriai ein pwyllgorau yn Stiwdio Abertawe pan fyddai Stephen J. Williams, cyn Athro'r Gymraeg yng Ngholeg y Brifysgol, Abertawe, Carwyn, Gwynedd Pierce, Howard Lloyd ac un neu ddau arall, yn pwyso a mesur termau ar gyfer y Campau.

Roedd y rhai rygbi'n bod, diolch i Eic, ac yn ddigon cyfarwydd eisoes (y rhan fwyaf, beth bynnag) ond caem ni gryn hwyl wrth gael hyd i rai derbyniol ar gyfer criced. Eic a gynigiodd 'caten' am y darn pren ar ben y wiced, ac fe gafodd sêl bendith y cyn-Athro: benthyciad o'r Saesneg ydoedd yn golygu 'darn', 'mymryn', 'tamaid', ond yr oedd yn rhan o eirfa Eic erioed, hyd yn oed pe nas defnyddid ganddo yn yr un ystyr yn union. 'Caten, catiau' felly. Yna, 'incil' oedd ei air ef (cyn i mi gwrdd ag ef) am 'tâp' — benthyciad arall o'r iaith Saesneg, '*inkle*', ond fe swniai cymaint yn fwy Cymreigaidd na 'tâp', er mai 'tâp' oedd yr enw a'i defnyddid gan y cynhyrchydd! Fe gofiaf yn iawn inni drafod am gryn amser dermau a fyddai'n addas ar gyfer taflu'r darn arian cyn dechrau gornest. Problem: cynnig Eic oedd 'mes', gair hollol ddieithr i'r rhan fwyaf, ond un a'i defnyddid yng Ngorllewin Morgannwg i benderfynu pwy a gâi daflu gyntaf wrth chwarae marblis — gair arall a fuasai yng ngeirfa Eic erioed. Trafod yn frwd cyn i'r penteulu golli am unwaith: 'galw'n gywir' a dderbyniwyd.

Ni fyddai ef byth yn gweld y chwith, yn pwdu, mewn sefyllfa felly, a theg dweud na fyddai byth yn oriog. Yr un cyfarchiad llon a gaem bob amser wrth gwrdd cyn rhaglen, ond o dan ei fantell o hynawsedd yr oedd cymeriad hollol unplyg o ran iaith a Chymreictod.

Parthed termau, mae'n rhaid imi gyfeirio at un hanesyn tra diddorol. Buasai Carwyn ac yntau'n trafod term i '*reverse pass*' pan oedd Carwyn yn dal i chwarae, ac yn ddisymwth, dyna'r maswr yn cynnig 'pas wrthol' (benywaidd oedd 'pas' iddynt, fel y mae i fab Eic, Huw Llywelyn, heddiw). 'Campus!', meddai Eic, 'a wnei di roi cyfle i mi ddefnyddio'r term ar Y Strade brynhawn Sadwrn pan fydda' i'n paratoi hanes yr ornest i fwletin y 'Newyddion'?' Gwnaeth Carwyn ei orau, ac yn wir i chi, gwelodd Eic ei bas wrthol, fel y gallai ac yn haf 1968 record-iwyd rhifyn 'Y Maes Chwarae' ar ben Yr Wyddfa (yn y trên bach y cyrhaeddodd Eic ond ar ei draed yr esgynnodd y cynhyrchydd). Cafodd Eic ei flas arferol ar holi am bob agwedd ar fynydda. Daeth 'Y Maes Chwarae' i ben ar Fehefin 21ain — Alban Hefin — 1969. Roedd ei iechyd yn fregus yn ei flynyddoedd olaf, a phan ymwelais ag ef yng Nghartre'r Henoed yn Abertawe nid yr Eic rhadlon, cellweirus ydoedd. Bu am gyfnodau wedyn mewn cartref yn Yr Alltwen, a gelwais yno i'w weld ar Fehefin 3ydd, 1993, ond aethid ag ef i Ysbyty Treforys gan fod y diwedd yn agos. Bu farw o fewn dyddiau heb imi gael cyfle drachefn i wrando ar ei atgofion lu o fyd y darlledu a meysydd y bêl hirgron.

J. Thomas Davies

Cawr Bach y Cyfryngau

Eic Davies, i mi, oedd *'Sporting Sam'* — y cymeriad chwedlonol hwnnw oedd yn personoli'r byd chwaraeon. Roedd hyd yn oed yn edrych yn debyg i'r cartŵn ei hun, gan ei fod yn fyr a chwrcwdlyd, gyda mop o wallt cyrliog, cot law laes at ei fferau a chetyn cam bob amser yn sownd rhwng ei ddannedd. Roedd yn gorfoleddu mewn chwaraeon, oherwydd er bod ganddo ddiddordeb byw mewn drama yn ogystal, yng nghyd-destun y bêl hirgron yn fwyaf arbennig y byddai'n dod yn fyw.

O'r foment gyntaf imi gyfarfod Eic, yr hyn a wnaeth argraff ddofn arnaf oedd ei gariad angerddol at rygbi. Gwyddai am hanes a chwedloniaeth y gêm fel cefn ei law a gallai adrodd ffeithiau ac ystadegau a straeon apocryffal — baldorddi a diddori oedd ei bethau. Gyda'r fath ddyfnder o bridd wrth ei wreiddiau yn ogystal â bod yn arddwr geiriau gyda'r gorau, doedd dim rhyfedd iddo droi at ddarlledu a blodeuo yn y byd hwnnw am sawl degawd.

Er mai athro oedd o o ran galwedigaeth ac nad oedd yn ennill ei fara menyn drwy ddarlledu, roedd yn hollol broffesiynnol ym mhob agwedd heblaw am hynny yn y maes hwn. Pleser pur, llafur cariad oedd y cyfan iddo ef. Fel un o'r sylwebyddion Cymraeg cyntaf ar amryw o chwaraeon, gosododd batrymau ac, yn bwysicach na dim, gosododd safonau sy'n cael eu derbyn fel y norm erbyn heddiw.

Roedd yn ddigywilydd o unllygeidiog pan oedd hi'n fater o grys coch Cymru, eto, nid oedd hynny'n ei atal rhag bod yn ddi-emosiwn a gwrthrychol fel cyfrannwr a beirniad llym a threiddgar yn y byd gohebu a darlledu, a gellir dweud bod ei hygrededd a'i flynyddoedd o brofiad agos at y gêm yn ei wneud yn berson cymeradwy iawn yng ngolwg pawb.

Byddai yn ei elfen tra'n cadeirio trafodaeth yn y stiwdio rhwng hen bennau craff y dyddiau hynny — dau yn arbennig, Jack Elwyn Watkins, cyn-chwaraewr i glwb Abertawe, a Llew Rees o Aberdâr, oedd hefyd o gefndir rygbi cyfoethog. Y drefn fel rheol oedd bod Eic yn llywio'r drafodaeth yn y fath fodd nes llwyddo i'w cael i gytuno i anghytuno. Un o'r esgyrn a gâi ei grafu'n gyson bryd hynny, fel heddiw, oedd pwy ddylai chwarae yn safle'r mewnwr dros Gymru — perswadid Jack Elwyn, fel gŵr o'r gorllewin, i gynnal breichiau Onllwyn Brace o Lanelli tra y byddai'r dwyreiniwr o Aberdâr yn cael ei annog i hyrwyddo achos mewnwr Caerdydd, Lloyd Williams. Byddai trafodaeth frwd a bachog yn dilyn, yn cael ei phrocio a'i thywys yn glyfar gan y cadeirydd rhadlon, na fyddai byth yn ymatal rhag taflu ei betrol ei hun ar ben y fflamau. Byddai'r trafodaethau ar ôl y gêm yr un mor afaelgar, a hynny i raddau helaeth oherwydd dawn y gŵr yn y canol — roedd Eic wedi canfod ei union faes!

Ar nodyn personol, roedd bob amser yn gefnogwr cadarn i'm dull arbennig i o chwarae, boed hynny mor rhyddfrydol ac mor anuniongred ag y bo, ac yr oedd yn barod yn aml i'w gymeradwyo'n ddewr gerbron y meicroffôn — dyna i mi hanfod y dyn, oherwydd ni fyddai byth yn swil o arddel ei gredo ac nid oedd byth yn geidwadol ei dueddiadau.

Ar wahân i fagu 'Bil McLaren' i Gymru, mab sydd wedi etifeddu dawn ei dad o drin geiriau ym myd y bêl hirgron ac mewn darlledu yn gyffredinol, bydd ei wlad yn fythol ddyledus i'r gŵr amryddawn hwn am fathu, creu a defnyddio termau newydd a geirfa rygbi newydd i'r iaith Gymraeg — mae termau fel 'maswr', 'mewnwr', 'blaenasgellwr', 'cic gosb' a 'throsgais' yn llithro'n llyfn oddi ar y dafod heddiw. I Eic mae'r diolch am hynny.

Daeth y cyfan â dimensiwn newydd ac ysgogiad newydd i ddarlledu drwy gyfrwng y Gymraeg, a chyflawni'r gamp hon, ymysg amryw byd o rai eraill, yw'r gofeb barhaol, fywiog sy'n sefyll i'r dyn hynod, hoffus hwnnw o Wauncaegurwen.

Onllwyn Brace

Eic

O dwyn y Gwrhyd daeth y dyn geiriog,
Y gŵr annwyl oedd yn ffigwr enwog,
Saif huodledd ei fathu'n sefydlog,
A'i ddawn unigryw fel llyw galluog:
Bu ei arlwy yn berlog — a champus,
O hwyl gellweirus hil Gelliwarrog.

Y Parch. D.J. Thomas

Eic

Teyrnged a draddodwyd yn ei angladd Mehefin 11eg, 1993

Y lle: ystafell mewn ysgol yng Nghwm Tawe.
Yr amser: rhyw awr ginio beder blynedd a deugen yn ôl.
Yr achlysur: ymarfer drama.

> Byth, (meddwn i, gydag argyhoeddiad eneiniedig)
> anghofia' i fyth y bore gwyn y gwelais i Flodeuwedd gynta
> 'rioed; tydi a Math yn cerdded dros y lawnt, a rhyngoch
> chi, yn noeth fel blodau'r wawr, a'r gwlith heb sychu ar ei
> bronnau oer, bronnau diwair megis calon lili pan blygo'r
> nos i'w mynwes, cerddai hi, enaid y gwan*WIN* gwyrf
> mewn corff . . .

'STOP!' medde'r llaish awdurdodol. 'Paid â gweud
'gwan*WIN*'; 'gwan*WYN*' yw'r gair. Mae e'n odli â llwyn, a
mwyn, ac ŵyn.'

> . . . enaid y gwanwyn gwyrf mewn corff o gnawd.

Yn 1949 o'dd hynny, ac o'dd perchennog y llaish awdurdodol
yn ddeugen o'd. Gŵr byr, ond solet iawn; dwy ên, os nad tair,
mop o wallt cochlyd, tonnog, a dwy foch hynod iach eu lliw.
Gŵr hynaws wedi taclu mewn brethyn, a bathodyn y Blaid ar ei
frest. Crwt dwy ar bymtheg o'n i, yn y chweched dosbarth yn
Ysgol Ramadeg Pontardawe. O'n i'n gwbod geirie Llew Llaw
Gyffes i gyd ar 'y nghof. O'dd Meirion Ifans (y Parchedig a'r
Prifardd wedi hynny) yn gwbod geirie Gwydion. O'dd Siân
Phillips yn gwpod geirie Blodeuwedd. A'r athro deugen oed
hwnnw ddysgodd y geirie i ni. Yn y gwaelod dyna oedd Eic
Davies yn anad dim arall — athro geirie, a'r cyfan sydd
ynghlwm wrth eirie.

Pan fu farw Eic ro'dd 'na bennawd yn y *Western Mail* —
'*Pioneer of Welsh Rugby Speak Dies*'. Hynny yw, dyn geirie
chwaraeon, a rygbi yn arbennig. Ro'dd ei gyfraniad e i'r byd
hwnnw, fel y gŵyr pawb, yn annhraethol bwysig. Fe, yn wir,
oedd yr arloeswr; bathwr y geirie a'r terme newydd, sydd

bellach, wrth gwrs, yn eistedd yn esmwyth gartrefol ar dafod ei fab ei hun, ac aml i sylwebydd arall. Os oedd Goronwy Owen yn credu bod cael arwrgerdd yn y Gymraeg yn fodd i sicrhau statws i'r iaith, fe gredai Eic fod cael y Cymry i drafod rygbi yn eu hiaith eu hun ar y radio ac mewn clwb a thafarn ac Ysgol Sul yn cyflawni'r un gymwynas. Iddo fe, ro'dd hi'n bwysig gwbod y geirie. A'u gwbod nhw'n iawn.

Mae yna stori am Eic yn mynd â chyfaill o Bontardawe gydag e i Gaerdydd i fod yn westai ar ei raglen radio ryw brynhawn Sadwrn ar ddechre tymor rygbi newydd i drafod rhagolygon pencampwriaeth y pum gwlad. Tom Howells oedd y cyfaill hwnnw, gofalwr meysydd chware'r ysgol, a dyfarnwr rygbi rhyngwladol. Yn y car ar y ffordd i Gaerdydd fe fuodd Eic yn pwyso ar Tom i beidio â gweud 'Scotland' a 'France' a chyffelyb Saesnegau.

''Wi mo'yn i ti weud y cwbwl yn Gymra'g' medde Eic.

'Reit' medde Tom. 'Beth wetest ti oedd *Scotland*?'

'Yr Alban.'

'Yr Alban! Reit gofia' i hwnna. A Ffrainc yw *France* ontefe?'

'Ie.'

'A beth yw *Ireland*?'

'Iwerddon bachan!'

'Ie, 'na ti . . . Iwerddon . . . Iwerddon. Reit, dim problem.'
A dyma gyrraedd y stiwdio. Rhaglen yn fyw, wrth gwrs.

'Wel, nawr 'te, Tom Howells, shwd y'ch chi'n gweld y tymor 'ma o safbwynt Cymru? Faint o obeth sy' da ni?'

'Wel, i weud y gwir 'tho chi Eic, wy'n credu bo' siawns lled dda 'da ni i ennill y . . . y ben camp wr iaeth (a 'na falch o'dd Eic bod Tom wedi llwyddo i weud y gair amlsillafog hwnnw yn ddianaf). Wadwn ni'r Saeson, a dyw'r Alban ddim yn broblem, na Ffrainc. Ond wy'n credu walle gewn ni m'bach o drwpwl gyta . . . gyta . . . (beth ddiawl o'dd y gair gair am *Ireland*? O'r diwedd, fe gofiodd) . . . gyta'r Iddewon!'

Roedd Tom druan wedi anghofio'r enw Cymraeg. I Eic ro'dd anghofio gyfystyr â bradychu.

Fe ddaeth Eic Davies yn athro i Ysgol Ramadeg Pontardawe yn 1948 o ysgol Mynwent y Crynwyr, a mawr oedd y disgwyl amdano ymhlith y rhai ohonom ni oedd yn astudio Cymraeg yn y chweched dosbarth. O'n ni wedi clywed amdano; ro'dd ei enw fe'n gyfarwydd i ni — fel darlledwr, fel actor a dramodydd. Ro'dd un o'i ddramâu (*Nos Calan Gaeaf*) wedi ennill cystadleuaeth y ddrama un act yn Eisteddfod Genedlaethol Aberpennar yn 1946 pan enillodd ei gyfaill Rhydwen Williams ei goron gyntaf. Hynny yw, o'dd e'n enwog.

Mr Ike Davies. Enw od i athro Cymraeg hefyd. Ond, wrth gwrs, wedi clywed yr enw o'n ni; do'n ni erioed wedi gweld yr enw. Yn y dyddie hynny, pencampwr bocso'r byd (yn nosbarth y pwyse ysgafn) oedd Americanwr du o'r enw Ike Williams. Yr un enw bedydd â'r athro Cymra'g newydd. Fe ddaeth hwnnw i Gaerdydd i amddiffyn ei deitl yn erbyn paffiwr o Bontardawe, sef Ronnie James. A chadw'r teitl, wrth gwrs, gan nad oedd gan Ronnie druan ateb i'r weret ddidrugaredd honno — y 'bolo punch'. Wel nawr, ro'dd Ike Williams yn sillafu ei enw I K E. Ac felly y tybiwn ni y sillafai Ike Davies hefyd ei enw. Ond nid felly. Eic Cymraeg oedd yr Eic hwn. O'dd e wedi Cymreigio'i enw. Ac un felly oedd e ar hyd ei fywyd — bathwr geirie newydd, newidiwr enwe, a Chymreigiwr pobol.

'Wi wedi'i weud e droeon, a mi weda' i fe heddi eto. Mi geso'i 'nghofrestru a 'medyddio yn David. Dyna oedd y ffasiwn bryd hynny i blant tai cyngor y cymoedd diwydiannol — onid David oedd Gwenallt hefyd? Ond fe ddaeth Eic Davies i Bontardawe — a dechre newid enwe.

'Jane Phillips' medde'r llaish 'ma. ''Wi'n rhoi enw newydd i ti. David Rowlands. 'Wi'n rhoi enw newydd i ti 'ed.' Ac felly buodd hi. Tystiolaeth o'n parch at Eic yw bod Siân a minne wedi cadw'r enwe a roddwyd i ni gan y dyn hwn. Y gwir yw mai ar y ffordd i Ddamascus (lle bynnag y bo honno) y rhoddir enwe newydd ar bobol. Ac ro'dd dyfodiad Eic Davies i ysgol Pontardawe yn rhyw fath o ben y ffordd i Ddamascus i gymaint ohonom. Fe fu'n achos newid cyfeiriad, newid cywair, newid ymagwedd. I mi'n bersonol, fe roddodd imi enw newydd, ac yn sownd wrth yr enw hwnnw ymwybyddiaeth newydd o Gymreictod. Fe'm gosododd inne wrth borth creadigrwydd. Ac fe ddysgodd i mi eirie.

'Wi'n cofio cerdded Mynydd y Gwrhyd pan o'n i yn y coleg yn Abertawe, a gweld — o bell — deulu yn eu mwynhau eu hunain — tad a mam a dau blentyn. O'dd y tad yn dangos i'w blant shwd o'dd hedfan *kite*. Mi sgrifennes i ysgrif am y digwyddiad a'i gynnig i Eic ar gyfer cylchgrawn yr ysgol. Ac medde Eic — 'Hedfan barcud o'n i, nid hedfan *kite*!' Oblegid y teulu a welswn ar Fynydd y Gwrhyd oedd Eic a Beti a Bethan a Huw. Mynydd y Gwrhyd oedd cynefin bore Eic. Mewn tyddyn ar lan afon Egel (neu fel y bydd fe'n gweud — afon Ecel) — yno y'i ganed ef. Oddi yno y dechreuodd ar ei daith — yn adroddwr bach ifanc mewn eisteddfode, yn grwt y rhubanau a'r pishyn whech mewn sgrepan sidan, yn actor, yn ddramodydd, yn ddarlledwr, yn arloeswr y *rugby speak* Cymraeg, yn athro geirie a newidiwr enwe. Fuodd y daith yn hir, a dyma medden nhw yw ei diwedd hi.

Does dim rhaid i hynny fod yn wir. Mi fydd i Eic atgyfodiadau bychain. Bob tro y bydd sylwebydd gêm rygbi yn gweud bod maswr yn trosi cic adlam, bob tro y bydd y bêl hirgron yn rhedeg dros y ffin gwsg, mi fydd Eic eto'n fyw. Bob tro y bydd Meirion Ifans yn sgrifennu cerdd, mi fydd Eic eto'n fyw. Bob tro y bydd Siân Phillips yn llefaru gair ar lwyfan, mi fydd Eic eto'n fyw. Bob tro y gwrandewir ar un o ganeuon Cymraeg Mary Hopkin, mi fydd Eic eto'n fyw. Bob tro y bydd rhywun yn fy ngalw inne'n Dafydd, mi fydd Eic eto'n fyw. Dyledwr wyf i'r dyn hwn. Fy athro oedd; ef a'm dysgws. Diolch amdano.

Dafydd Rowlands

I Eic

Ar ei ben-blwydd, yn bedwar ucen

Fe ddigwyddws ryw ddeugen mlynedd yn ôl.
Fe olyga hynny fy mod inne heddi'
yn hŷn nag oeddit tithe bryd hynny.
Ma'n ddrwg 'da fi! . . . nag oeddech CHITHE bryd hynny.
Ware teg, ma' athro ysgol da yn haeddu parch, hyd yn o'd
yn 'i gefen. 'Nenwetig yn ei gefen.
Sylwed pawb ar y 'tithe' a'r 'CHITHE'.
Yn y Sysneg ma' nhw'r un peth: *'you'* a *'YOU'*.
Yn y Gymra'g — 'ti' a 'CHI'.

Pam y 'Sylwed pawb . . .'?

Wel. Ddeugen mlynedd yn ôl,
pan oeddwn inne'n byw yn 'y nghragen —
'Rowlands!' — yr athro Mathemateg — *'Do YOU see
this desk?'*
Tap, tap ar y pren â'i law fach wen. *'This is what your brain
sounds like!
Come to think of it . . . '* Tap, tap arall ar y pren *' . . . this is
better wood!'*
Suddo'n ddyfnach i 'nghragen.

'I want you to write me an essay' — yr athro Hanes — *'on
the following: Account for the long tenure of office of
Walpole. Rowlands! Don't YOU bother! YOU can try to write
me a short paragraph on the little YOU know about history!'*
Marw'n ddistaw yn 'y nghragen.

Ac yna, fe ddetho' chi.

'Beth yw d'enw di?'
'David Rowlands, syr.'
'Reit! Grinda nawr 'te, Dafydd Rolant. 'Wi mo'yn i ti
sgrifennu ysgrif . . . '
'Beth yw ysgrif, syr?'
'Ti d'unan, miwn gire, ar bapur.'

Ac ar bapur, miwn gire, ddaetho' i ma's o 'nghragen,
a ffindo'n hunan.
Ddeugen mlynedd yn ôl — ryw ffordd od i Ddamascus.
Nage, i Gymru, a'r Cymra'g a Chymreictod,
ac ataf fi fy hun.

Fe roddaist imi enw, a chyfystyr ar ryw olwg enwi â chreu.
A thithe'n bedwar ucen o'd, diolch i ti am yr enw.

Dafydd Rowlands

*Eic gyda'r wyrion a'r wyres — Nia a Guto ar y soffa, Owen a Rhodri ar y
llawr adeg ei barti pen-blwydd yn yr Allt-wen yn 80 oed.*

Eic gyda Guto, yr ŵyr cynta. Gwauncaegurwen.

Eic, Rhodri (ei ŵyr) a Huw.

Cywydd Mawl i Eic Davies

I foi o'r Waun rhoddwn fri,
Rhoddwn y porffor heddi'!
Gwau o edau anrhydedd
Ei glog i oleuo'i wedd;
Gwau addurn i'w ysgwyddau
A'i gyfarch o barch ei bau.

Yr oedd haint Seisnigrwydd hy
Yn ei fyd yn aeddfedu;
Gwelai gerrig Seisnigo
Fel gelyn ar briddyn bro
A gwenwyn yn eginiad
Yr efrau ar leiniau'i wlad,
A drain y difrawder hir
Yn afradu ei frodir.

Yn ei nerth âi hwn i'w waith
Â min blaenllym ei heniaith,
A chae anial a chwynnai
Â'r llafan glân yn ei glai.
Yna dodi ei hadau
Yn awel haf i amlhau;
Cnwd Cymreictod a gododd
Yn wyrth a fu wrth ei fodd!

Mynnem ar frys trwy'i wŷs o
Gadw'r oed gyda'r radio,
A deuai ar naid awel
I drafod hud byd y bêl
Iaith ein cartref a'n crefydd,
Yr iaith ar ein caeau'n rhydd.

Y dewin fu'n meithrin mil
Ohonom a'i ddawn gynnil;
Tyfai holl blant ei ofal
Yn driw rhwng ei bedair wal.

Ni wyddai rigol addysg,
Rhannai dân, nid esgyrn dysg,
A bu euraid ein bore
Â chân ei wladgarwch e.

Llew annwyl Gellionnen
A wybu saeth a baw sen;
Gwae y Ddraig oedd her ei oes,
Ei chri oedd ynni einioes
I roi'r Gymraeg ym mêr hil
A gwreiddiau i'w gwŷr eiddil.

I foi o'r Waun rhoddwn fri,
Rhoddwn y porffor heddi'!

Robat Powel

Eic Davies yn ysgrifennu o Twicenham Cymru v Lloegr

Twickenham Ionawr 20fed, 1962
Lloegr 0, Cymru 0

Welsoch chi eriôd sgôr fel 'na o'r blân rhyngo' ni a NHW, — ddim mewn gêm y tu hwnt i'r Clawdd, ta' beth. Ma'n wir i'r ddwy ochor fethu â sgori yn erbyn 'i gilydd ar dir Cymru — yn Abertawe y digwyddws hynny ddiwetha yn 1936. A dyna hen beth diflas yw gêm ddi-drech.

'Mynd bod cam i Dwicenham,' mynte nhw'r menywod ar ôl inni ddod sha thre, 'a gweld rhyw ffrwt o gêm fel 'na, a neb yn sgori. Ma' ishe clymu'ch penne chi!' Ond 'dyw menywod ddim yn dyall, wrth gwrs. Y trip yw'r peth, a bod yna. Ac fe allwn ni weud inni fod yn y gêm gynta' eriôd rhwng Lloegr a Chymru — sylwch chi nawr ar drefen yr enwi — pan fethodd neb â chroesi'r ffin, pan aeth saith cynnig am gôl gosb 'gyta'r gwynt,' pan ddaeth Morus wetyn a throi dau gynnig da am gôl adlam gan Richard Sharp led llechen o'r pyst, a phan helpodd 'i gynnig coch arall tua'r lluman a dod y nesa' peth i ddim i'w wneud yn gais i Jim Roberts yn ystod y deng munud peryglus yna tua chanol yr ail hanner. O do, fe enillws rhywun wedi'r cwbwl, — buddugoliaeth Morus Hercog oedd hon.

Y Lle

Otych chi wedi bod i Dwicenham? Ry'ch chi'n siŵr o fod wedi gweld llun y lle rywbryd neu'i gilydd sbo? Wel 'te, ma' 'na dair stand, dwy'n rhyteg gyta'r ystlyse — y gorllewin a'r dwyren (yn y gorllewin y bydd y bobol bwysig yn ishte, a Phwyllgore Dewish a Gweinidogion y Goron a'u gwragedd a rhai fel 'na). Ac yno hefyd y bydd camerâu'r B.B.C. Yna, ar y whith i'ch darlun chi ar y set deledu, ma' Stand y Gogledd — sgimren o stand ddrafftog, ithus, mynte 'nghyfell Jac Elwyn Watkins wrtho' i ar ôl cael y ffliw yno yn y gêm rhwng Lloegr a De Affrica. Ond at y pen arall rwy' i am ddod — y pen agored sy'n nythfa o gape cochon bob blwyddyn. Banc whech y canu cynnes — o'r fan'ny

118

ro'dd e'n dod y tro yma eto — a chwtsh y bechgyn sy' *yn* gwpod rhwpeth am rygbi. A dyna gwtsh y cilog gwynt, obry ar i sgimren uchel. 'Down i ddim wedi sylw arno, os 'wi'n cofio'n iawn, tan y Satwrn hwn. Os clywch chi rywun yn gweud y dylse John Wilcox fod wedi cico'r ddwy gôl gosb yna yn yr hanner cynta, mynnwch air â'r cilog gwynt. Falle y bydd e'n cyfadde nad yw pum llath ar hucen yn ormod i neb mewn unrhyw dîm (fe gicodd eilydd o gefnwr gan Gaerdydd, Peter Bert yn y bore ar Old Deer Park pan wadodd gwŷr Caerdydd Cymru Llunden o bedwar pwynt ar bymtheg i dri ar ddeg). A dyna beth o'dd cyfle bendigedig i roi tân yn y ddwy ochor — o fewn pum llath ar hucen i dri phwynt ym mhedwaredd munud y whare. Ond acha wewc yr aeth hi. Ddau funud wetyn fe aeth cynnig cynta Richard Sharp am gôl gosb gyda chil y post. Anesmwyth tost o acos! Tro Celfyn Coslett yn y bedwaredd funud ar ddeg o bum llath a deugain mâs — tipyn o wahaniaeth cyfle, ond taw e? Gyta'r gwynt ne' yn 'i erbyn e? Bernwch chi: fe sylwes fod y pedwar lluman yn hwthu i gyfeiriad cenol y ca' — y man 'na lle byddan nhw'n cico bant ar ddechre pob hanner. Ro'dd y mwg tybaco ar yn hochor ni'n cylchdroi fel Pwll Deri. Ac er bod y cilog gwynt a'i gwt at Celfyn tra'r o'dd e'n cymryd 'i amser i osod y bêl yn ofalus ofalus, ro'dd e wedi troi iddo'i gweld hi'n hedfan yn uchel yn agos agos i frig y post. Ond y tu fâs, gwaetha'r modd. A dyna beth ma'n nhw'n 'i feddwl wrth wynt Twicenham.

A ryw nôl a mlân fel 'na y bu'r cilog drwy gydol y gêm, a'i gwt at y ca' am y rhan fwya o'r amser, o achos do'dd hi ddim yn rhyw ddiddorol fel'ny. Dicon gwefreiddiol ar adege cofiwch. Ma' pob gêm ddi-sgôr yn rhwym o fod pan allwch chi enwi rhyw ddwsin o weithie y daethpwyd o fewn y dim i groesi'r ffin neu i ddodi'r bêl dros y trawst. Ac wedi'r cwbwl, gêm rhwng Lloegr a Chymru o'dd hon. Ro'dd e bob amser a'i big tuag atom ni pan gâi Ken Jones y bêl, yn arbennig pan dorrws e mor bert a Malcolm Price yn methu â chymryd i bas e, a Dewi Bebb yn glir wrth 'i ystlys ryw ddecllath o ffin Lloegr. Os yw cilog yn gallu ochnido fe ollyngodd Cilog Twicenham ochened o ollyngdod yr eiliad honno. A fe ollyngodd un arall yn wythfed munud ar hucen yr ail hanner pan na fu ond y dim i Falcolm Price wado Wilcos a'i gic ymlân. Ond rwy'n siŵr bod dagre yn i lyced e rhwng hanner awr wedi tri ac ucen muned i bedwar — Sharp ac Underwood yn dilyn cic dali-hô wedi'r unig bàs wael oddi wrth Alan Rees i Falcolm Price fynd i'r llawr (achubwyd y ffin rywsut â chic sgrech rhwng Dewi Bebb a Chelfyn Coslett), pac Lloegr ar y ffin Cymru yn hwpo fel teirw dur a Dicie Jeeps yn câl i godi'n glwt fodfeddi cyn gallu tirio'r bêl . . . ail gynnig Richard Sharp yn troi ddwywaith cyn gwyro y tu fâs . . . cynnig tost Jim Roberts am gais y cyfeiriwd ato ishws . . . popeth ond sgori, diolch i'r mawredd.

Ac fel 'na y daeth hi i ben . . . Budge Rogers yn carlamu gyta'r ystlys dde ar 'i ben 'i hunan, neb rhyngddo fe a'r ffin ond pymteng stôn Coslett, ac fe fu hynny'n ddicon. A dyna'r bib ola, a ninne'n teimlo'n fodlon oherwydd fe allasai rheolwr mwy pigog fod wedi dyfarnu cic gosb am daclad hwyr. Beth petai Lloegr wedi ennill â chic ola'r gêm?

Ond rwy'n credu taw tipyn o ochri fuasai hynny, hyd yn o'd o safbwynt hen Fwci Bo Twicenham 'i hunan.

Bu disgwl gêm agored dda, a chyfle i'n holwyr ifenc dawnus ni. Ond gofalodd pac Lloegr a Dickie Jeeps na ddaeth y cyfle hwnnw. Pac Lloegr, Dickie Jeeps, a'r gweddill o olwyr Cymru a buase'n stori arall. Doi'r bêl lawer iawn yn rhy araf i Alan Rees a'r ddau ganolwr allu gwneud dim ohoni. Wadwd ni yn y lein, chafwd dim sodli o'r sgarmesodd rhyddion (o'r llefydd hynny y daw siawns am gais y dyddie hyn) a thagwyd pob gobeth. Doedd gan Loegr mo'r olwyr i fanteisio ar well gwaith 'i blaenwyr. Y canlyniad o'dd i reng ola'r ddau bac ddisgleirio.

'Chaiff Cymru mo'r Goron Driphlyg a 'chaif Lloegr mohoni chwaith, ac ma' hynny'n dipyn o gysur i'r Alban ac Iwerddon hwythe. Ond pan awn ni i Dwicenham eto yn '64 — a fe awn —

gobitho y bydd y cilog gwynt yna'n clwydo'n dawel a'i big tua
chyfeiriad y ca' drwy gydol y whare.

Eic Davies
(Y Ddraig Goch, Chwefror 1962)

Eic

Y Gwrhyd a'i heddwch fu'n grud iddo,
Y geiriau-fathwr, y gŵr diguro.
Dros Gymru racsiog y bu'n llafurio,
A'i wlad sy' heddiw'n ddyledus iddo;
Ac yn y Boblen heno, — i'r 'cymer',
Yfer yn dyner er cof amdano.

T. Llew Jones

Rhestr o ddramâu cyhoeddedig Eic Davies

Cynaeafu (Cyhoeddwyd gan yr awdur, 1943)
Drama yn seiliedig ar stori fer Guy de Maupassant.
Dim Ond Ei Fod E (Dramâu'r Llyfrgell, Gwauncaegurwen)
Llwybrau'r Nos (Cyhoeddwyd gan yr awdur, 1943)
Y Cam Gwag (Llyfrau'r Dryw, Llandybïe, 1947)
Drama gyffrous.
Nos Calan Gaeaf (Dramâu Llynfell, Gwauncaegurwen, 1950)
Drama gyffrous 1 act.
Lleuad Lawn (Dramâu Llynfell, Gwauncaegurwen, 1950)
Ffars 1 act.
Fy Mrodyr Lleiaf (Dramâu Llynfell, Gwauncaegurwen, 1950)
Drama mewn 2 olygfa.
Ewch ati (Llyfrau'r Dryw, Llandybïe, 1954)
Drama 1 act.
Y Tu Hwnt i'r Llenni (Llyfrau'r Dryw, Llandybïe ail arg. 1954)
Comedi.
Gorwelion

I Blant:
Cwac Cwac (Dramâu Llynfell, Gwauncaegurwen, 1951)
Ffars 1 act.
Doctor Iŵ-Hŵ (Gwasg Gomer, Llandysul, 1966)
Ffars 2 olygfa.
Y Dwymyn (Dramâu Llynfell, 3ydd arg. 1963)
Botymau Pres (Llyfrau'r Dryw, Llandybïe)
Forshêm
Randibŵ (Llyfrau'r Castell, Caerdydd, 1947)